僕《ぼく》のヒーローアカデミア vol.20

堀《ほり》越《こし》耕《こう》平《へい》

JUMP COMICS

頭髪シャッフル
人物紹介!

大変だ!!前巻でA組をシャッフルした敵・登場人物紹介 邪魔男の親戚の実家の斜向かいの旦那さん・キャラ紹介野 毛変え夫が怒鳴り込んできた!!
彼の〝個性〟は人の頭髪をシャッフルしてしまう!!
普段と違う髪型に皆大ハシャギ!!
もはや新キャラ、誰が誰の髪型になったか分かるかな!?

コラ

破邪

④ 麗日 お茶子

③ 爆豪 勝己

② オールマイト

① 緑谷 出久

⑧ 八百万 百

⑦ 飯田 天哉

ある日《ひ》より人々《ひとびと》の体《からだ》に発現《はつげん》し始《はじ》めた特異体質《とくいたいしつ》。それはいつしか〝個性《こせい》〟と呼《よ》ばれるようになり、多《おお》くの者《もの》が何《なん》らかの特異体質《とくいたいしつ》を持《も》つ超人社会《ちょうじんしゃかい》となっていた。しかし、この「超常《ちょうじょう》」は犯罪件数《はんざいけんすう》の増加《ぞうか》を招《まね》き、国《くに》が対応《たいおう》しきれない事態《じたい》にまで陥《おちい》ってしまう。そんな折《おり》、人々《ひとびと》の中《なか》から次第《しだい》に、悪意《あくい》へ対抗《たいこう》する為《ため》に動《うご》く者達《ものたち》が現《あらわ》れ始《はじ》める！

コミックさながらのヒーロー活動《かつどう》をする彼《かれ》らは、やがて人々《ひとびと》に認《みと》められ公的職務《こうてきしょくむ》となり、生活《せいかつ》の安全《あんぜん》を守《まも》っていた。これは、そんなヒーローに憧《あこが》れる〝無個性《むこせい》〟の少年《しょうねん》が、あるトップヒーローとの出会《であ》いをきっかけに、最高《さいこう》のヒーローへ駆《か》け上《のぼ》るまでの物語《ものがたり》である。

ストーリー STORY

答《こた》え ①峰田《みねた》、②障子《しょうじ》、③飯田《いいだ》、④相澤《あいざわ》、⑤尾白《おじろ》、⑥砂藤《さとう》、⑦オールマイト、⑧轟《とどろき》、⑨切島《きりしま》、⑩上鳴《かみなり》、⑪耳郎《じろう》、⑫爆豪《ばくごう》、⑬麗日《うららか》、⑭芦戸《あしど》、⑮八百万《やおよろず》、⑯常闇《とこやみ》、⑰蛙吹《あすい》、⑱青山《あおやま》、⑲瀬呂《せろ》、⑳緑谷《みどりや》、㉑葉隠《はがくれ》、㉒口田《こうだ》

MY HERO ACADEMIA

僕《ぼく》のヒーローアカデミア

Vol.20

CONTENTS《コンテンツ》

開催文化祭《かいさいぶんかさい》‼

No.《ナンバー》178 ラブラバという女《おんな》 007

No.《ナンバー》179 開催文化祭《かいさいぶんかさい》‼ 025

No.《ナンバー》180 人知《ひとし》れず 043

No.《ナンバー》181 誰《た》が為《ため》 061

No.《ナンバー》182 垂《た》れ流《なが》せ！文化祭《ぶんかさい》！ 077

No.《ナンバー》183 終日《しゅうじつ》‼文化祭《ぶんかさい》‼ 097

No.《ナンバー》184 ヒーロービルボードチャートJP《ジェイピー》 115

No.《ナンバー》185 ウィングヒーローホークス 133

No.《ナンバー》186 エンデヴァー＆《アンド》ホークス 148

No.《ナンバー》187 燃《も》えよ轟《とどろ》け！VS《バーサス》脳無《のうむ》：ハイエンド 169

No.《ナンバー》188 父《ちち》はNo.1《ナンバーワン》ヒーロー 187

あっははは
何《なん》だい拳藤《けんどう》
その衣装《いしょう》は!!
おぉー!!
アッハハハハハハハ
暴力《ぼうりょく》に魂《たましい》を
売《う》った人間《にんげん》とは
思《おも》えないなァ!!
エロくね
No.《ナンバー》178 ラブラバという女《おんな》
ほめてんのか
貶《けな》してんのか
どっち
ちょっと男子《だんし》
ズケズケ入《はい》って
来《こ》ないでよ
ズケズケ
1-B 準備室
ほめてんのさ!!
何《なん》てったって
エントリーしたのは
この僕《ぼく》だぜ!?
CM《シーエム》出演《しゅつえん》で
人気《にんき》のある
拳藤《けんどう》なら
優勝間違《ゆうしょうまちが》いなし!
優勝《ゆうしょう》することに
よって
B組《びーぐみ》は更《さら》に
プルスウルトラ!
何《なに》よりその間《かん》
君《きみ》の手刀《しゅとう》から
僕《ぼく》が解放《かいほう》
されるのさ!!
ハハハハハ
まァ…
やるとなったら
てっぺん狙《ねら》わせて
もらいますけども
ヒョコ
ねえねえ
待《ま》って 何《なん》で
間違《まちが》いなしなの
まだ
わかんないよ
波動《はどう》ねじれ先輩《せんぱい》!

よろしくね 拳藤《けんどう》さん！
おやおや 私《わたくし》を差《さ》し置《お》いて 優勝《ゆうしょう》の お話《はなし》を!?
チク チク
有終《ゆうしゅう》の美《び》を 飾《かざ》るのはこの私《わたくし》
オホホホホホ
絢爛崎《けんらんざき》 美々美《びびみ》 先輩《せんぱい》!!
オホホホホ ホホホホホ
女《おんな》の戦《たたか》いだ ……！
もうすぐ 着《つ》くよ
A組《エーぐみ》の出《だ》し物《もの》が 10時《じ》からで
その後《あと》続《つづ》けて 1年B組《ねんビーぐみ》の劇《げき》
で 昼《ひる》を挟《はさ》んで ミスコン
U.A Festival Perfect Guide

緑谷《みどりや》くん
ワクワクさんだね
エリちゃん！
うん…！
発目《はつめ》
プレゼン前《まえ》に
身《み》なり
整《ととの》えなさいよ
逆《ぎゃく》にもうコレ
整《ととの》ってませんか!?
おはよー
ございます！
何《なに》してるん
です？
おはよう
外出許可証《がいしゅつきょかしょう》？
当日《とうじつ》に!?
ヒョイ
横向けない…
ああ 何《なに》やら
買《か》わなきゃ
いけないものが
2〜3あるらしくて
ふもとまで
買《か》い出《だ》しに
もう始《はじ》まっちゃい
ますよ！
ギリギリじゃ
ないですか
そんなとこ
青春《せいしゅん》しなくても

トッ
ピョン
すみません
現場《げんば》の方々《かたがた》
No.《ナンバー》178 ラブラバという女《おんな》
うわ！
とっとと…
見《み》えないけど
痕跡《こんせき》が残《のこ》ってる…！
危《あぶ》ない…！
人《ひと》来《き》ても
異常《いじょう》に
気《き》づくように
…
ソッ

よく見《み》ろ
できれば
君《きみ》の〝個性《こせい》〟は
退却《たいきゃく》の時《とき》まで
取《と》っておきたいが
でもでも
このままじゃ
失敗濃厚《しっぱいのうこう》よ!!
それも
わかっている!!
T・A《タイムアタック》だからな
致《いた》し方《かた》あるまい
頼《たの》んだぞ ラブラバ
いや速《はや》!!

空気弾《くうきだん》を避《よ》けて
崩《くず》れた体勢《たいせい》
立《た》て直《なお》しながら
着地《ちゃくち》する為《ため》に張《は》った
〝空気膜《くうきまく》〟
この木《き》の上《うえ》!!
その位置《いち》を

覚《おぼ》えて
んんっ

つだぁ!!
がはっ…!
ズザッ
っ…!!
!?

ググ
ピクリとも動《うご》けん…!!
女《おんな》の子《こ》も抵抗《ていこう》しないで
もう諦《あきら》めてくれ
いつものジェントルなら見《み》つかった時点《じてん》で逃《に》げていた…!!
今回《こんかい》の案件《あんけん》に自慢《じまん》のヒゲと魂《たましい》を懸《か》けている

想《おも》いが
仇《あだ》に——…!!
ジェントル…!!!
3組《くみ》に相場《あいば》っているじゃん? 小《ちい》さい子《こ》
喋《しゃべ》ったことねェけどラブレター貰《もら》ったんよ
えーマジ!!
卒業アルバム
それがさ…
〜してる俺《おれ》がかっこいいとか…
明《あき》らかに俺《おれ》を尾《つ》けてるっぽいんだよ
その文章《ぶんしょう》が便箋《びんせん》何十枚《なんじゅうまい》も…
ストーカーじゃんコエエエ!!
中学《ちゅうがく》1年《ねん》 夏休《なつやす》み明《あ》けの事《こと》

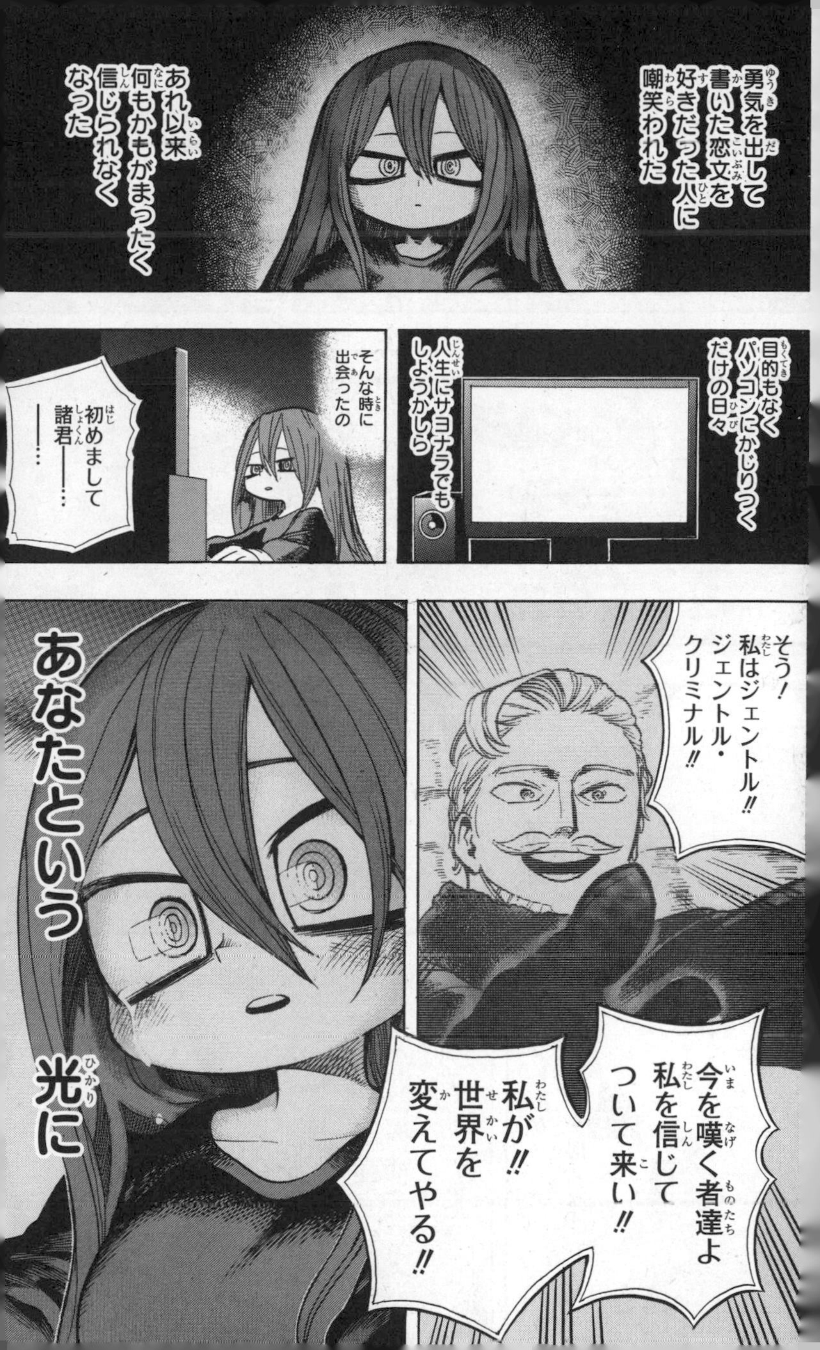

勇気《ゆうき》を出《だ》して
書《か》いた恋文《こいぶみ》を
好《す》きだった人《ひと》に
嘲笑《わら》われた
あれ以来《いらい》
何《なに》もかもがまったく
信《しん》じられなく
なった
目的《もくてき》もなく
パソコンにかじりつく
だけの日々《ひび》
人生《じんせい》にサヨナラでも
しようかしら
そんな時《とき》に
出会《であ》ったの
初《はじ》めまして
諸君《しょくん》——……
そう！
私《わたし》はジェントル!!
ジェントル・
クリミナル!!
今《いま》を嘆《なげ》く者達《ものたち》よ
私《わたし》を信《しん》じて
ついて来《こ》い!!
私《わたし》が!!
世界《せかい》を
変《か》えてやる!!
あなたという
光《ひかり》に

ジェントル・クリミナル
クマが染《し》みついちゃってる
気味悪《きみわる》がられないかしら
あなたは何《なに》も言《い》わず受《う》け入《い》れてくれた
相場《あいば》 愛美《まなみ》くん
君《きみ》のコードネーム「ラブラバ」…なんてどうだろう？
蒸しタオル
我々《われわれ》はもう既《すで》に最高《さいこう》のコンビだ
ジェントル!!
私《わたし》のジェントル!

警察《けいさつ》に引《ひ》き渡《わた》します
これからすぐに
ラブラバ
愛《あい》してるわ
〝個性《こせい》〟
ありがとう
ラブラバ
愛《あい》

「愛《あい》」を囁《ささや》くことで
何《なん》だ…
急《きゅう》に力《ちから》が…
最《もっと》も愛《あい》する者《もの》一人《ひとり》だけを
短時間《たんじかん》パワーアップさせられる！
愛《あい》が深《ふか》まれば深《ふか》まる程《ほど》与《あた》えるパワーも強《つよ》くなり
悪《わる》いな少年《しょうねん》
危機的状況《ききてきじょうきょう》で発動《はつどう》されたその力《ちから》は
ヒュッ
力《ちから》ずくで解決《かいけつ》するのは好《この》みじゃないから…

こういうところは
いつもカットしているんだ
何十倍《なんじゅうばい》にも跳《は》ね上《あ》がる
しばらく眠《ねむ》っていてくれたまえ

ごめんね
緑《みどり》谷《や》出《いず》久《く》くん

必《かなら》ず最後《さいご》に愛《あい》は勝《か》つのよ
もっと…強《つよ》くて…速《はや》い人《ひと》…と
たくさん…戦《たたか》ってきた…
まだ負《ま》けてないぞ

THE·寄稿

遂《つい》に20巻到達《かんとうたつ》しました！4年《ねん》も描《か》き続《つづ》けられるとは！
これも偏《ひとえ》に読《よ》んでくれてるあなたのおかげです。ありがとう!!
そして今回《こんかい》、なんとお二人《ふたり》の先生《せんせい》から祝《いわ》いのイラストを頂《いただ》きました！

お一人《ひとり》はもうおなじみ、少年《しょうねん》ジャンプ＋《プラス》で連載中《れんさいちゅう》のスピンオフ
「ヴィジランテ-僕《ぼく》のヒーローアカデミアILLEGALS《イリーガルズ》-」の作画担当《さくがたんとう》・別天先生《べってんせんせい》!!
最初《さいしょ》に「ガチスピンオフやるよ、別天荒人《べってんこうと》さんに描《か》いてもらうよ」
と伺《うかが》った時《とき》は驚嘆《きょうたん》したものです。
学生時《がくせいじ》、「PRINCE STANDARD《プリンス スタンダード》」「明日泥棒《あしたどろぼう》」などを普通《ふつう》に
買《か》って読《よ》んでたので、もう畏《おそ》れ多《おお》くてビビリ倒《たお》してましたよ。
別天先生《べってんせんせい》、ヒロアカに携《たずさ》わっていただき、ありがとうございます！

そして、もうお一方《ひとかた》！こちらも少年《しょうねん》ジャンプ＋《プラス》で連載中《れんさいちゅう》！
「さぐりちゃん探検隊《たんけんたい》」の著者《ちょしゃ》・あきやま陽光先生《ようこうせんせい》!!
もともとスタッフとしてヒロアカを手伝《てつだ》ってくれていました。
あきやま先生《せんせい》の描《か》く女《おんな》の子《こ》が可愛《かわい》くて、当初《とうしょ》から
くやしいなー絵《え》うまいなーいいなー可愛《かわい》いなーと歯《は》ぎしりしていました。
あきやま先生《せんせい》、色々《いろいろ》、マジで色々《いろいろ》ありがとう!!

ヴィジランテ５巻《かん》、さぐりちゃん３巻《かん》は今巻《こんかん》と同時発売《どうじはつばい》です。
僕《ぼく》が描《か》いたイラストもそれぞれ載《の》せて頂《いただ》いてるので
気《き》になる方《かた》は是非読《ぜひよ》んでみて下《くだ》さいね！
イラスト交換《こうかん》ってワクワクしますよね！好《す》き！

別天先生のイラストは42P！
あきやま先生のイラストは60Pに掲載!!

Good MOOrrrnin!
No.179《ナンバー》 開催文化祭《かいさいぶんかさい》!!
きたきた きたきた
ヘイガイズ!! 準備《じゅんび》はここまでいよいよだ!!!
今日《きょう》は一日《いちにち》無礼講《ぶれいこう》!! 学年学科《がくねんがっか》は忘《わす》れてハシャげ!!
そんじゃ皆《みな》さんご唱和《しょうわ》下《くだ》さい

雄英《U・A》
9:00
開《かい》

文《ぶん》化《か》祭《さい》
パン
No.《ナンバー》179 開《かい》催《さい》文《ぶん》化《か》祭《さい》!!
AM《エーエム》
催《さい》

ありえんぞ
少年《しょうねん》…!!
そんな…!!
頼《たの》むから
最終手段《さいしゅうしゅだん》だぞ
いつもこれで…!!
この
"ラバーモード"で
切《き》り抜《ぬ》けて
きたのだ!!

いつも!!
止《と》まってくれ!!
ジェントル ごめんなさい ごめんなさい!!
愛《あい》が
二人《ふたり》で!!!
足《た》りなかった!!
君《きみ》の想《おも》いが 足《た》りない など
誰《だれ》が証明《しょうめい》 できよう!

ジェントリー
サンドイッチ!!
THUD!
いっ!!!
サンドイッチは薄《うす》い程《ほど》上品《じょうひん》とされる食《た》べ物《もの》である…
ギチチ
っ…!!
幾重《いくえ》にも重《かさ》ねるのは好《この》みじゃない
しかしそれでも成《な》し遂《と》げたい
中年《ちゅうねん》の淡《あわ》い夢《ゆめ》だ

あ——……
え——……っと
誰《だれ》でしたっけ
歴史《れきし》に！後世《こうせい》に！名《な》を残《のこ》す！
……この先《さき》いつも誰《だれ》かが
私《わたし》の生《い》き様《ざま》に想《おも》いを馳《は》せ憧憬《しょうけい》する
この夢《ゆめ》ももはや私一人《わたしひとり》のモノではない
今日《きょう》は偉業《いぎょう》への第一歩《だいいっぽ》
諦《あきら》めろと言《い》われて諦《あきら》められる程《ほど》軽《かる》くはない！
君《きみ》も雄英生《ゆうえいせい》なら
夢《ゆめ》に焦《こ》がれるこの想《おも》い
おわかりいただけよう

この夢《ゆめ》もはや私一人《わたしひとり》のモノではない
何《なん》で
そこまでわかってて何《なん》で文化祭《ぶんかさい》だ!!
何《なん》で雄英《ゆうえい》の想《おも》いを踏《ふ》みにじれるんだ!!

ザッ
!!?
ググ
ズルッ
それはもうそういうもんだろう!!

ぐっ
夢《ゆめ》の為《ため》ならっ！
人《ひと》の頑張《がんば》りも!!
そこに
懸《か》ける情熱《じょうねつ》も！
笑《わら》い方《かた》を知《し》らない
女《おんな》の子《こ》の笑顔《えがお》も!!
奪《うば》えるのか!!
それが
夢《ゆめ》を
叶《かな》えると
いうことだ

夢《ゆめ》は
ヒーローになって
ジェントル 18歳《さい》(高《こう》2)
教科書《きょうかしょ》に載《の》るくらいの偉大《いだい》な男《おとこ》になることです
いや 聞《き》いてないから おまえやばいから 飛田《とびた》
決《けっ》してレベルの高《たか》くない我《わ》が校《こう》で落第点《らくだいてん》をとり続《つづ》け留年《りゅうねん》
加《くわ》えて今回《こんかい》の仮免《かりめん》4回目《かいめ》も落《お》ちた
正直《しょうじき》こちらも自主退学《じしゅたいがく》をすすめる他《ほか》ない
竹下《たけした》さんのとこはもう事務所《じむしょ》から声《こえ》かかったんだってね
大丈夫《だいじょうぶ》さ母《かあ》さん
私《わたし》はめげない!!
頑張《がんば》るさ!!

Caffe
ああ
いかん!!
あれ!!
落《お》ちるぞ!!
私《わたし》の“個性《こせい》”なら
クッションになると
そう判断《はんだん》した
だけだ!
BOING
わっ!?
落下《らっか》した男性《だんせい》は
全治《ぜんち》6か月《げつ》の
大怪我《おおけが》・
結果《けっか》として
君《きみ》はヒーローの
救助《きゅうじょ》を妨害《ぼうがい》した
これは
公務執行妨害《こうむしっこうぼうがい》に
あたり――…
退学届
クズ
ゴミ

ジェントル22歳《さい》
(フリーター)
春《はる》
春《はる》はいい
つくしが食《た》べられる
フフフ…
フフフフ…
夢《ゆめ》などもう忘《わす》れていた!
想《おも》いを馳《は》せる余裕《よゆう》など――…
キャー
キャー
竹下《たけした》くん!? 竹下《たけした》くんじゃないか!!
もう独立《どくりつ》したのかい!? 素晴《すば》らしい!!
私《わたし》のこと覚《おぼ》えているかい!?
同《おな》じクラスで! 留年《りゅうねん》してしまったが!

あ――……え――…っと
誰《だれ》でしたっ……け
教科書《きょうかしょ》に載るくらい偉《い》大な男《おとこ》にな
夢《ゆめ》などもう
このまま貧《まず》しく哀《あわ》れに私《わたし》は老《お》いてくだけか!!?
ダダ
いや!!!
超常犯罪史

まだだ!!
ジェントル！
これまでラバーモードは数《かぞ》え切《き》れぬ程《ほど》使《つか》ってきたわ！
跳《は》ね返《かえ》しで反撃《はんげき》はするけれども！あくまで逃走《とうそう》の手段《しゅだん》として!!
暴力《ぼうりょく》を好《この》まないジェントルが――
芯《しん》が無《な》いと嘲笑《あざわら》うがいい!!
それでも結構《けっこう》!! 私《わたし》は

笑《わら》わないよジエントル・クリミナル

勝《か》って!! ジェントルー!!

ヒロアカ
映画公開&
20巻到達 おめでとうございます!!
別天
20

勝《か》って
ジェントル
No.《ナンバー》180 人《ひと》知《し》れず
ラブラバ《あの子》の〝個性《モヤ》〟が
増《ふ》えて!
強《つよ》くなってく!
笑《わら》わないよ
ジェントル・クリミナル

思《おも》い出《だ》したわ あの子《こ》 緑谷出久《みどりやいずく》くんよ 体育祭《たいいくさい》で——…
狂気《きょうき》！
関《かか》わるべきじゃないな
君《きみ》は!!
何《なん》の為《ため》に ヒーローを志《こころざ》す！

愛《あい》してるわ
この夢《ゆめ》もはや私一人《わたしひとり》のモノではない
同《おな》じだジェントル
僕《ぼく》だけの夢《ゆめ》じゃない!!!
身《み》の丈《たけ》に合《あ》わない夢《ゆめ》を！
心《こころ》の底《そこ》で諦《あきら》めてしまってた夢《ゆめ》を！笑《わら》わないでくれた！
認《みと》めてくれた皆《みんな》に！応《こた》えたい！
辛《つら》い思《おも》いをしてきた人《ひと》に

明《あか》るい未来《みらい》を示《しめ》せる人間《にんげん》になりたい
——…
同《おな》じ…か

う
THUD!
君《きみ》の想《おも》いが足《た》りないなど誰《だれ》が証明《しょうめい》できよう！
信《しん》じる！信《しん》じるわ!!
スッ
パカ
この日《ひ》の為《ため》に組《く》んだPC《パソコン》とプログラム！特別《とくべつ》な無線《むせん》で気付《きづ》かれずに雄英《ゆうえい》の校内《こうない》ネットワークに接触《せっしょく》できる
接触《せっしょく》できればセキュリティを解読《かいどく》し！侵入《しんにゅう》できる！
勝《か》つって!!
時間《じかん》ももうない！
麓《ここ》じゃ無線《むせん》がまだ…！ギリギリ届《とど》かない

もっと近付《ちかづ》かなければ！
ジェントルの為《ため》に!!
私《わたし》のやるべきことを――――!!
ラブラバ!! いかん一人《ひとり》で行《い》っては危《あぶ》ない！
我《わ》が相棒《あいぼう》が警報《けいほう》のセンサーを無効化《むこうか》する算段《さんだん》だ
早《はや》く決着《けっちゃく》をつけねば!!
まだ
これまで戦《たたか》ってきた方々《かたがた》には及《およ》ばんかね!?

恥《はじ》も外聞《がいぶん》も
流儀《りゅうぎ》も
捨《す》てて
君《きみ》を断《た》つ！
それが君《きみ》という
人間《にんげん》への
礼儀《れいぎ》だ

キイイッ
嫌《いーや》ーーー…
嫌《いや》…!!

シュートスタイル
セントルイス

スマッシュ!!
ガ!!
これまで戦《たたか》ってきた誰《だれ》より
戦《たたか》い辛《づら》かったよジェントル
ハア…
ハア…
ドシャッ
シュウウ…

ジェントル
ガサ
ヒーローがすぐそこまで
愛《あい》によるパワーアップは短時間《たんじかん》そして
逃《に》げ…なさい
一日《いちにち》に一度《いちど》まで
できれば君《きみ》の〝個性《こせい》〟は退却《たいきゃく》の時《とき》まで取《と》っておきたいが
ガシャ
ポロッ
…嫌《いや》やめてよ
放《はな》して…!!

ジェントルを放《はな》して!
ポカ ポカ ポカ ポカ ポカ
トム トム
放《はな》して!!
嫌《いや》よ!!
ジェントルが心《こころ》に決《き》めた企画《きかく》なの!
ポカ
ポカ
ポカ
大好《だいす》きなティーブレイクも忘《わす》れて準備《じゅんび》してきたの!
放《はな》せ! 何《なに》が明《あか》るい未来《みらい》よ!!
私《わたし》の光《ひかり》はジェントルだけよ!!
ラブラバ……
ジェントルが私《わたし》の全《すべ》てよ
ジェントルを奪《うば》わないでよ

ジェントルを奪《うば》わないでよ!!
「逃《に》げなさい」…!?
彼女《かのじょ》が逃《に》げる事《こと》はないとわかっているのに…!
「お手伝《てつだ》い」はダメだ 君《きみ》を犯罪《はんざい》に加担《かたん》させる事《こと》になる
お願《ねが》い 罪《つみ》なら既《すで》にハッキングで犯《おか》しているわ
いいのジェントル 私《わたし》あなたといれるなら
何《なん》でもどこでも幸《しあわ》せなのよ
彼女《かのじょ》が一人《ひとり》で逃《に》げのびたとして幸《しあわ》せだろうか
いいやきっとこれまでとは比《ひ》にならない罪《つみ》を犯《おか》す!
ジェントルと離《はな》れるくらいなら
死《し》ぬ!!

そうさせるに至《いた》らしめたのは
受《う》け入《い》れ
片棒《かたぼう》を担《かつ》がせた私《わたし》だ！
ラブラバ
私《わたし》も幸《しあわ》せだったよ!!
彼女《かのじょ》に罪《つみ》はない
このままヒーローに捕《つか》まれば
ラブラバも戦《たたか》いに加担《かたん》したとすぐバレる
ならばせめて――…!!

この戦《たたか》いはなかったことに
クンッ
そのまま失《う》せたまえ緑谷《みどりや》出久《いずく》
少《すこ》しでも
罪《つみ》を
軽《かる》く
彼女《かのじょ》の為《ため》に彼女《かのじょ》の明《あか》るい未来《みらい》の為《ため》に

緑《みどり》谷《や》出《いず》久《く》
誇《ほこ》っていい
君《きみ》は君《きみ》の
全《すべ》てを守《まも》り
勝《か》った
ジェントル・クリミナル！
グッ…
路《ろ》傍《ぼう》の礫《こいし》に
躓《つまず》いて
しまってね
雄英《ゆうえい》
自首《じしゅ》が
したい

祝!!20巻
連載4周年&
映画化!!
堀越《ほりこし》さん20巻《かん》達成《たっせい》
おめでとうございます!
1巻《かん》の即重版《そくじゅうはん》からアニメ化《か》、
またたく間《ま》に人気漫画《にんきまんが》へと
プルスウルトラしていくのを
自分《じぶん》のことのように嬉《うれ》しく
感《かん》じていました!
一読者《いちどくしゃ》として
これからの展開《てんかい》も
目《め》を離《はな》さずに追《お》っていきます!
あきやま陽光

少《すこ》し前《まえ》
買《カ》イ出《ダ》シニ出《デ》タ生徒《セイト》ガ戻《モド》ッテナイ？
ワイワイ
ワイワイ
了解《リョウカイ》デス確認《カクニン》シマス
やきそば ¥300!
やきそば 300円
エクトプラズム！お腹《なか》減《へ》ったらウチ来《き》てよ！
ゼヒ頂《イタダ》コ…
こちら…グルルルドッグ！現在《げんざい》C《シー》-16地点《ちてん》
E《イー》-4へ向《む》かう『分身《ぶんしん》』4・5人《にん》借《か》りますウウ
了解《リョウカイ》緊急《キンキュウ》カ？
No.《ナンバー》181　誰《た》が為《ため》
ガサ
そいつを確《たし》かめます…匂《にお》う…3人《にん》…
散歩《さんぽ》コースから外《はず》れてます
大《おお》きな移動《いどう》はしていないその場《ば》に留《とど》まっている
激《はげ》しく発汗《はっかん》興奮状態《こうふんじょうたい》
ガサ
迷子《まいご》か
怪我人《けがにん》か
愚者《ぐしゃ》か
総員《ソウイン》警戒態勢《ケイカイタイセイ》ヲ……

・・・・・敵意《テキイ》ヲ確認《カクニン》 ・・・・デキ次第《シダイ》
雄英《ゆうえい》
No.《ナンバー》181 誰《た》が為《ため》
文化祭中止《ブンカサイチュウシ》 生徒避難《セイトヒナン》ノ旨《ムネ》 通達《ツウタツ》スル
自首《じしゅ》がしたい

自首《じしゅ》？
……見《ミ》タコトアルナ
逃《ニ》ゲ足《アシ》ダケハハヤイ敵《ヴィラン》 猪口才《チョコザイ》ナ動画投稿者《ドウガトウコウシャ》ダ
仲間《なかま》は？
ジェントル！
いない
その傷《きず》と抉《えぐ》れた地面《じめん》は何《なん》だ
言《い》ったろう 躓《つまず》き転倒《てんとう》した…！
二人《ふたり》だけか
そうだ
「そうだ」!? もう一人《ひとり》いるだろゔゔ
ウチの生徒《せいと》の匂《にお》いだ
そのまま失《う》せたまえ緑谷出久《みどりやいずく》

彼女《かのじょ》の為《ため》に
彼女《かのじょ》の明《あか》るい未来《みらい》の為《ため》に
ジェントル・クリミナルのやらんとしている事《こと》が
何《なん》となくわかった
…彼《かれ》なら………すぐ…そこだ…
私情《しじょう》交《ま》じりの体《てい》の良《い》い理屈《りくつ》をつけて
私《わたし》はずっと
私《わたし》の為《ため》に生《い》きていたよ
戦意《せんい》はすっかり削《そ》がれてしまった
最後《さいご》が君《きみ》で良《よ》かったよ
想《おも》いを懸《か》けて戦《たたか》えて
削《そ》がれて残《のこ》った私《わたし》の底《そこ》に
多《おお》くの罪《つみ》を犯《おか》してきたが…最大《さいだい》の罪《つみ》は

〝誰《た》が為《ため》〟想《おも》える
世間知《せけんし》らずの女性《じょせい》を勾引《かどわ》かし
洗脳《せんのう》していた事《こと》
心《こころ》があった
だからどうか相場《あいば》愛美《まなみ》に
恩赦《おんしゃ》を…!
ソノ怪我《ケガ》ハ!
……
最後《さいご》に拳《こぶし》を交《ま》じえられたのが君《きみ》で良《よ》かった
緑《みどり》谷《や》出久《いずく》
ジェントル…!!
私《わたし》の為《ため》に……!!
違《ちが》うよ違《ちが》うわ!

私《わたし》がジェントルを大《だい》好《す》きなの
ズルいよジェントル！
私《わたし》がジェントルを困《こま》らせたくないの
知《し》ってて――……!!
戦《たたか》ったのか

雄英《ゆうえい》にイタズラしようとしてるのがわかって
少《すこ》し揉《も》めました
もう……大丈夫《だいじょうぶ》です
けれど
うわあああ
ああああ

……
ハウンドドッグ！ エクトプラズムC《シー》！ 異常《いじょう》は？
スナイプ
報告《ほうこく》を お願《ねが》いします
端迷惑《はためいわく》な 動画投稿者《どうがとうこうしゃ》の 出頭希望《しゅっとうきぼう》
何《なん》だそりゃ
俺《おれ》も わかりません とりあえず
現時点《げんじてん》で 緊急性《きんきゅうせい》は ない
引《ひ》き続《つづ》き 警戒《けいかい》を続《つづ》けます
グイ

詳《くわ》しい事《こと》は警察署《けいさつしょ》で話《はな》せ
緑《みどり》谷《や》出《いず》久《く》くん
私《わたし》もかつてはヒーロー科《か》にいた
「ジェントル・クリミナル」はヒーロー落伍《らくご》の成《な》れの果《は》てだ
笑《わら》い方《かた》を知《し》らない女《おんな》の子《こ》の笑顔《えがお》も!!
とても言《い》えた義理《ぎり》ではないが
君《きみ》の想《おも》い届《とど》くといいな

不満《ふまん》が充満《じゅうまん》している何故《なぜ》か偏《ひとえ》に不甲斐《ふがい》ないからだ
明《あか》るい未来《みらい》…か
オールマイトが心配《シンパイ》シテイタゾ
A組《ユーグミ》10時《ジ》カラダロウ今《イマ》ガ9時《ジ》16…17分《フン》
はっ
マァ…ココカラナラ5〜6分《プン》デ学校《ガッコウ》ニ
先生《せんせい》あの！すみません買《か》い出《だ》しの品《しな》あっちに置《お》いてきちゃって
ドコダ？一緒《イッショ》ニ行《イ》コウ
ジェントル・クリミナル
戦《たたか》い辛《づら》い人《ひと》だった

は？緑谷《みどりや》が？
買《か》い出《だ》し一《ひと》つで何《なに》してんだあいつ
BOOO
もー！
AM《エーエム》9:25
「ヒーロー落伍《らくご》の成《な》れの果《は》て」
なぜ戦《たたか》い辛《づら》かったのか腑《ふ》に落《お》ちた
自分《じぶん》もそうなってたかもしれないから。
僕《ぼく》もジェントルも似《に》た想《おも》いを持《も》っていたから。
彼《かれ》はラブラバの為《ため》を想《おも》った
僕《ぼく》は――

AM《エーエム》9:35
1年A組《ねんエーぐみ》のどんなもんかな
俺《おれ》ちょっと楽《たの》しみ
のみもの ALL 200円
フンッ
デクさん踊《おど》らないの？
思《おも》ったより人集《ひとあつ》まってるよ
朝《あさ》からゴキゲンな連中《れんちゅう》だぜ
楽《たの》しみにしてくれてんだよバカチン

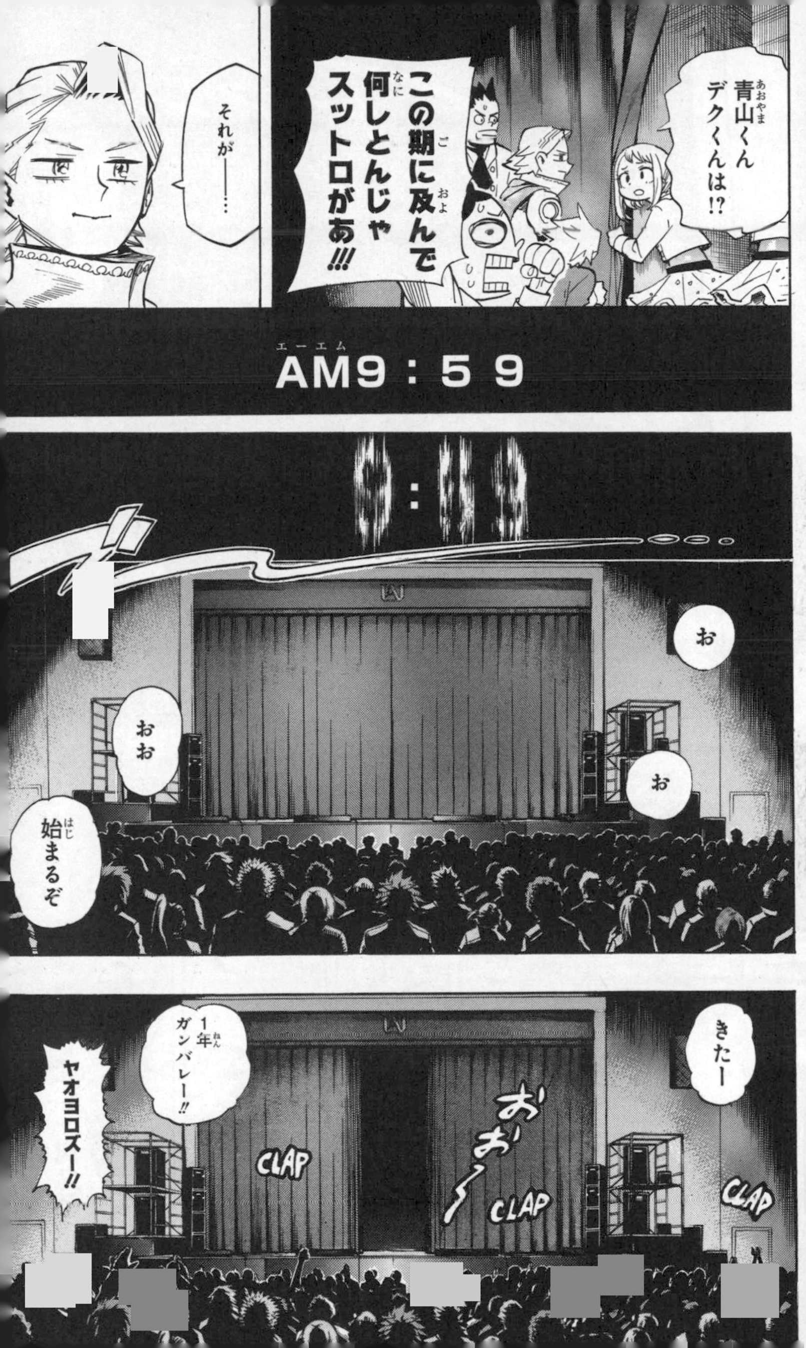

青山《あおやま》くん
デクくんは!?
この期《ご》に及《およ》んで何《なに》しとんじゃスットロがあ!!!
それが――……
AM《エーエム》9：59
9：59
お
おお
お
始《はじ》まるぞ
きたー
1年《ねん》ガンバレー!!
ヤオヨロズー!!
おおお〜
CLAP
CLAP
CLAP

どんなもんだあ!?
1年《ねん》ーー!
アアア
ヤオヨロズー!!
ヤオヨロズー!!
ヤオヨロズー!
CLAP
CLAP
エリちゃん
見《み》える!?
うん…!
僕《ぼく》は
いくぞゴラアアア

君《きみ》の笑《え》顔《がお》を見《み》たかった！

THE・ボタンの数が増えたり減ったりする激カワワンダー衣装

No《ナンバー》.182
垂《た》れ流《なが》せ！文化祭《ぶんかさい》！
緑谷《みどりや》くん☆！遅《おそ》いよー！
青山《あおやま》くん!!
ごめんなさい！
何故《なぜ》そんなボロボロに!?
――…転《ころ》んだ
何《なに》をやってんのさドジっ子《こ》☆
ハイ！着替《きが》えて！皆《みんな》待ってる
ありがとう！
待《マ》テ
ソノ擦《ス》リ傷《キズ》土塗《ツチマミ》レノ顔《カオ》デ出《デ》ルツモリカ？

ソレデハ楽《タノ》シマセル前《マエ》ニ心配《シンパイ》サレルゾ
チャント治《ナオ》シテカラデモ間《マ》ニ合《ア》ウダロウ
さて…どうかな
エリちゃんの保護役《ほごやく》
どうかなって!! 何《なに》が!? 俺《おれ》ちょー楽《たの》しみよ!
おまえはどーでもいい
つーかパトロール行《い》けよ
ちょっとだけ! ちょっとだけ
パトロールサボリ
他科《この》や2・3年《なか》には「最近《さいきん》の雄英《ゆうえい》」に対《たい》する不平不満《ふへいふまん》を
A組《やつら》に向《む》けてる輩《やから》もいる
楽《たの》しもうなんて気《き》はなく品定《しなさだ》めの為《ため》に来《き》てるって輩《やから》が

彼《かれ》らの目《め》にお遊戯《ゆうぎ》同然《どうぜん》に映《うつ》らないといいんだが
演奏《バンド》とかダンスとか…
フツーに上手《じょうず》にやったところでさ
結局《けっきょく》あんたらの自己満足《じこまんぞく》じゃない
響香《きょうか》
好《す》きにやっていい
いくぞコラァアア雄英全員《ゆうえいぜんいん》

BOOM
音《おと》で殺《や》るぞ!!
ジャーン

開幕爆発《かいまくばくはつ》!!
ツカミはド派手《はで》に！

よろしくおねがいしまァス
粒立《つぶだ》たせる!!
おお!?
いいじゃん!!

青山《あおやま》ちゃんと緑谷《みどりや》ちゃんの
パート！
サプライズ？文化祭《ぶんかさい》にエリちゃんが？
これまできっと辛《つら》かっただろうし…
「楽《たの》しい」って思《おも》ってもらえないかなって！
息《いき》ピッタリ
緑谷《みどりや》とレーザーだ！
見《み》せ場《ば》!!
いくよ！
ウィ☆

人間花火《にんげんはなび》かよ
CATCH!
おっ!
ウィ☆
そろそろだ

デクくん
私《わたし》も
だよ！
よ
見《み》せ場《ば》短《みじ》けー!!
いっちゃった
でも見《み》て!!
何《なに》かしてるよ！
ポポポポポ
結局《けっきょく》なに…？
一発芸大会《いっぱつげいたいかい》？
……
よっしゃ今《いま》だ
せ・ろ・ろ・き!!
セイ！
羽《は》ばたく者《もの》よ
光源《こうげん》を上下左右《じょうげさゆう》に
動《うご》かすのです！
おお

サビだ　ここで全員《ぜんいん》
ドドッ
ドッ
ドドッ

ブッ殺《ころ》せ

おおおおおお
バッ
楽《たの》しみたい方《かた》アア!!
ハイタッチー！
FLOAT
FLOAT
FLOAT
なんだこいつらああ
行《い》ってこいダンス隊《たい》!!
ゴリゴリゴリゴリ
ダイヤモンドダストじゃあ!!
ガハハハハ
上鳴《かみなり》!!
はーい
グイッ

空中《くうちゅう》ギター！
FLOAT
浮《う》いたお客《きゃく》をテープで安全確保《あんぜんかくほ》！
うおおお!!
ガシャコン
あいつずっとロボットダンスだけしてる！
ガシャン
ツルー
オイラの時代《じだい》ー!!
父《とう》さん母《かあ》さん
ウチヒーロー目指《めざ》す

ウチ 音楽《おんがく》の道《みち》には …行《い》かない
ゴメン…
ベソかくことかァ オイオイ！
ユッサ ユッサ
だって…！ 本当《ほんとう》はずっと 迷《まよ》っててさ…！
人《ひと》の為《ため》に 体《からだ》張《は》って戦《たたか》って… かっこよくてさ…！
ずっと憧《あこが》れてて…でも 父《とう》さんたちが 教《おし》えてくれた音楽《おんがく》が 無駄《むだ》になっちゃうし
何《なに》よりウチ 音楽《おんがく》も好《す》きだから…… 言《い》えなかったんだもん
…… ……響香《きょうか》
好《す》きにやっていい
父《とう》さんも母《かあ》さんも 好《す》きだから 音楽《おんがく》やってきた
最初《さいしょ》は 「好《す》き」「かっこいい」 「うまくできた」
些細《ささい》な もんさ

でも長《なが》く続《つづ》けてると考《かんが》えるの
「自分《じぶん》の仕事《おと》で他人《ひと》に何《なに》をもたらせる」か…
そういう意味《いみ》じゃ
音楽《おんがく》もヒーローも同《おな》じね

てめェ走《はし》ってんだよ
おまえが勝手《かって》にアレンジすっから混乱《こんらん》すンだよ
本番《ほんばん》で変《へん》なアドリブしないでね?
あ?
おめーがするンかい
ドッ
ああ緑谷《みどりや》くん!!
サー!!
見《み》えるかい
緑谷《みどりや》くん!!
サー・ナイトアイ!!

ワアァ
わあぁ!!
笑《わら》ったよ
わあぁ!!
笑《わら》ったよ!!

THE・ジャンプとコミックス

No《ナンバー》.182。
この回《かい》、ジャンプでは下書《したが》きで掲載《けいさい》してしまい、
読者《どくしゃ》の皆《みな》さんに申《もう》し訳《わけ》ない気持《きも》ちでいっぱいでした。
ジャンプで読《よ》んでくれてる方《かた》、その節《せつ》は大変申《たいへんもう》し訳《わけ》ありませんでした。
よりにもよって、この回《かい》でね…何《なに》やってんでしょうね本当《ほんとう》。
今回《こんかい》コミックス収録《しゅうろく》にあたり、完成原稿《かんせいげんこう》を載《の》せてるわけですが、
ちょこっと足《た》して、本来《ほんらい》やりたかった構成《こうせい》に直《なお》してます。
耳郎《じろう》のドアップを見開《みひら》きにしてます。
見開《みひら》きたいと思《おも》ってたんですけどね、なかなか見開《みひら》けないんですよこれが。
せめてものお詫《わ》びになれば幸《さいわ》いです。
ジャンプ掲載時《けいさいじ》の耳郎《じろう》も、これはこれで良《い》い顔《かお》をしているので
下《した》に載《の》せておきます。
好《す》きにやっていい。ありがとう耳郎父《じろうちち》・響徳《きょうとく》さん。

我《わ》が名《な》はロミオ!!
アズカバンの亡霊《ぼうれい》パリス伯爵《はくしゃく》よ！ジュリエットを返《かえ》してもらおう!!
No.《ナンバー》183 終日《しゅうじつ》!! 文化祭《ぶんかさい》!!
ロミオ…オビワンから父親《ちちおや》の事《こと》聞《き》いているだろう
ゴンドール王国《おうこく》の王《おう》であったと…あれは嘘《うそ》だ
ワシがお前《まえ》の父《ちち》だ
嘘《うそ》だあ——!!!

詰《つ》めこみすぎだろ!!
ドヤドヤ
色々《いろいろ》凄《すご》かったな
勢《いきお》いに笑《わら》っちゃった
B組《ビーぐみ》の劇《げき》見《み》たかったなー
ドヤ
ドヤ
しゃあない片付《かたづ》けはちゃんとしないと!
遅《おく》れたのはいい電話《でんわ》に出《で》なさい
ケータイ持《も》たずに出《で》てました…急《いそ》いでて…
着歴《ちゃくれき》見《み》たら
驚《おどろ》くぞきっと
怒《おこ》られてやんの

ご心配《しんぱい》かけてすみません
エクトからの報告《ほうこく》であらまし聞《き》いてる
オツカレサマデス
「正解《せいかい》」だと思《おも》うなよ
大《たい》した怪我《けが》もなく結果的《けっかてき》に文化祭《ぶんかさい》は続《つづ》いてる
だが結果《けっか》としてだ！
おまえは仮免《かりめん》ヒーローで雄英《ゆうえい》の生徒《せいと》
揉《も》めるなら頼《たよ》るべきだった
俺《おれ》たちだって守《まも》らなければいけないんだ

はい
何《なに》陰気臭《いんきくさ》い面《つら》している行《い》け
!?
続《つづ》くんだからちゃんと楽《たの》しめ!!
WHAM
ぶはっ!!
ドテ
うお緑谷《みどりや》とんできた
あ先輩《せんぱい》来《き》てるよ
ハッハッ
ハウンドドッグありがとう
オールマガウルルゥアアアア!!
仰《おっしゃ》る通《とお》り軽率《けいそつ》でした…
ドオオ
バゥバウ外《がい》ガウルル
バゥーバゥアオー!!
オマエが人語《ジンゴ》ヲ忘《ワス》レルノハ本当《ホントウ》ニ怒《オコ》ッテイル時《トキ》ダケダ

しばらく「初めてのおつかい」って呼ぶわ
よーう オツカレ!!
最初《さいしょ》は大《おお》きな音《おと》でこわくって
でもダンスでピヨンピヨンなってね
ピカって光《ひか》ってデクさんいなくなったけど
ふわって冷《つめ》たくなってね
プカーってグルグルーって光《ひか》ってて
女《おんな》の人《ひと》の声《こえ》がワーってなって私《わたし》…
わああって言《い》っちゃった!

楽《たの》しんでくれて良《よ》かった
ゴン
ゴン
良《よ》かねんだよ遅刻《ちこく》の次《つぎ》はサボリか運《はこ》べや！
ああ！ごめん持《も》つ！持《も》つ！
僕《ぼく》のも☆
A組《エーぐみ》!!
オツー！楽《たの》しませてもらったよー
わっ!!やったァあざっス!!
ドヤドヤ
ああ…
楽《たの》しかった良《よ》かったよ
…

——ごめん！
こき下《お》ろす気《き》で見《み》てた!!
言《い》わなくていいのに…
勝《か》った
いそいそ
先生《せんせい》が言《い》ってた「ストレスを感《かん》じてる人《ひと》」だったんかな
だったら飯田《いいだ》通《つう》じたってことだなァ!!
うむ！
しかし！理由《りゆう》はどうあれ見《み》てくれたからこそ
見《み》てない人《ひと》もいるハズだ今日《きょう》で終《お》わらせず気持《きも》ちを…
いいんじゃない君《きみ》らがどういう思《おも》いで企画《きかく》したか聞《き》いてるし
俺《おれ》たちには伝《つた》わった

今度《こんど》は
俺《おれ》らからそいつらに…
本当《ほんとう》に楽《たの》しかったもん
君《きみ》らの想《おも》いは
見《み》た人《ひと》から
伝播《でんぱ》していくさ
ハハハ
雄英
アーハハハ
オォー…
嬉《うれ》しいねぇ
ご厚意《こうい》
痛《いた》み入《い》り
ます！
スカッとしねぇ…
見《み》なかった奴《やつ》
炙《あぶ》り出《だ》して
つれて来《こ》い！
いいやめろ
やめろもう
早《はや》く氷《こおり》全部《ぜんぶ》!!
片付《かたづ》け!!
済《す》ませようや!!
あワリ！
峰田《みねた》さっきから
カリカリだな
早《はや》くしねぇと
ミスコン
良《い》い席《せき》取《と》られるぞ
ア
ア

ケンドー!!
シュシュっと一吹《ひとふ》き
ケンドー!!
ハッ!!
華麗《かれい》なドレスを
裂《さ》いての演武《えんぶ》!!
強《つよ》さと美《うつく》しさの共存《きょうぞん》
素晴《すば》らしい
パフォーマンスです!!
地味《じみ》!! 何《なに》も
わかっていないようですね
その程度《ていど》でこの私《わたくし》と
張《は》り合《あ》おうだなんて!!

絢爛《けんらん》豪華《ごうか》こそが美《び》の終着点《しゅうちゃくてん》！
ドドッ
ドッ
3年《ねん》サポート科《か》ミスコン女王《じょおう》!!
高《たか》い技術《ぎじゅつ》で顔面力《がんめんりょく》をアピール！圧巻《あっかん》のパフォーマンス！
ドッ
ドッ
ガシャン
ガコン
これは何《なに》する出《だ》しもの？
ちょうど今《いま》わからなくなったとこだよね
ホホウ3年《ねん》…やるじゃないですか
劇《げき》ウケたってなやったなア
ガン
そっちこそ！
ねじれ…
波動《はどう》さん…人間《にんげん》だって動物《どうぶつ》ほ乳類《にゅうるい》だと思《おも》えば楽《らく》になる

ねじれが 去年《きょねん》 負《ま》けたのは
絢爛崎《けんらんざき》に 派手《はで》さで 戦《たたか》いを挑《いど》んだから
派手《はで》は 絢爛崎《けんらんざき》の良《よ》さ！
ねじれには
ねじれの 良《よ》さが ある!!
麗日《うららか》さんだ 梅雨《つゆ》ちゃんも
通形《とおがた》 皆《みんな》ビックリした 顔《かお》してる
不思議《ふしぎ》
こうして 見《み》ると…本当《ほんとう》に 波動《はどう》さん…
純《じゅん》真《しん》無《む》垢《く》な妖《よう》精《せい》のようだ

トッ
CLAP CLAP
幻想的《げんそうてき》な宙《そら》の舞《ま》い！
ファア
引《ひ》き込《こ》まれました！さァお次《つぎ》は…
投票《とうひょう》はこちらへ‼結果発表《けっかはっぴょう》は夕方《ゆうがた》5時《じ》‼シメのイベントです！
LET'S VOTE!
B組《ビーぐみ》拳藤《けんどう》！拳藤《けんどう》B組《ビーぐみ》に清《きよ》き複数票《ふくすうひょう》を‼
誰《だれ》に入《い》れようかな
今夜《こんや》は捗《はかど》るぞー
ルンタッター
C組《シーぐみ》の心霊迷宮《しんれいめいきゅう》ヤバそー行《い》かねぇ⁉
行《い》くー‼
ヤダウチヤダ
アスレチックあるんだ勝負《しょうぶ》しようぜ
くれえぷ

結果発表！
お化け屋敷
出口
今日《きょう》は
ありがとう！
楽《たの》しかった！
エリちゃん
顔《かお》を上《あ》げて
…うん

サプライズ！
リンゴアメ
売《う》ってた!? 俺《おれ》探《さが》したよ!?
どうぞ
リンゴ！
リンゴアメとか出《で》るかも！
プログラム見《み》て ないかもと 思《おも》ったんで
だから 買《か》い出《だ》しの時《とき》に材料《ざいりょう》 買《か》っといたんです つくり方《かた》意外《いがい》に カンタンで！
食紅《しょくべに》だけ コンビニには なかったんで 砂藤《さとう》くんに借《か》りて
タッ
タッ
タッ
まァ 近《ちか》い内《うち》にすぐ また会《あ》えるハズだ
フフ…
さらに 甘《あま》い
カリッ…

またつくるよ
楽《たの》しみにしてて
ズキ…
ピクッ
ピクッ
サァ…
……独学《どくがく》で
これを？
ええ
信《しん》じられないな——！
仕事《しごと》は？
ラブラバ
この才能《さいのう》
世《よ》の中《なか》の為《ため》に
使《つか》う気《き》ない？
ないわ

私《わたし》はジェントルの為《ため》になりたいんだもの
洗脳《せんのう》かどうかなんてテストですぐ判断《はんだん》がつく
馬鹿《ばか》なウソはやめとけ
ありゃ本当《ほんとう》にあんたの事《こと》好《す》いてる
未遂《みすい》も多《おお》いが重《かさ》ねた罪《つみ》の多《おお》さから考《かんが》えてあんたもあの子《こ》も
相場《あいば》くんが直接《ちょくせつ》手《て》を出《だ》したことはない
彼女《かのじょ》と私《わたし》は同罪《どうざい》じゃない…
……フン
相思相愛《そうしそうあい》かいやだやだ
退学《たいがく》
元《もと》・ヒーロー科《か》…ねじれねじれて犯罪動画投稿者《はんざいどうがとうこうしゃ》か
夢《ゆめ》を思《おも》い出《だ》してしまった
恐《こわ》くて走《はし》り出《だ》してしまった

たとえ
間違《まちが》った道《みち》
だとしても
なら今日《きょう》
止《と》まれたのは
正解《せいかい》だったな
人生《じんせい》
やり直《なお》せねぇ
なんて言《い》う奴《やつ》はな
やり直《なお》す気《き》の
ねぇヤロウか
結果《けっか》を急《いそ》ぐ
せっかち野郎《やろう》
だけだ
茶《ちゃ》でも
飲《の》むか
……紅茶《こうちゃ》を……
…粗茶《そちゃ》だよ

甲《は》矢《や》有《ゆう》弓《ゆ》(18)

THE SEIFUKU

Birthday《バースデイ》：9/10
Height《ハイト》：160cm《センチ》
好《す》きなもの：
かわいいもの全《すべ》て

THE《ザ》・補《ほ》足《そく》

・ねじれの親友《しんゆう》。
ねじれが銀河一《ぎんがいち》
かわいいと思《おも》ってる。
余談《よだん》。髪染《かみそ》めたり、
ピアスしたり、現実《げんじつ》だと
禁止《きんし》されがちなオシャレは
割《わり》と許容《きょよう》されてます。

ヒュウウ
キーンコーン
カーン
コーン
11月《がつ》も下旬《げじゅん》に差《さ》しかかる頃《ころ》
No.《ナンバー》184 ヒーロービルボードチャートJP《ジェイピー》
雄英《ゆうえい》で預《あず》かることになった
近《ちか》い内《うち》にまた会《あ》えるどころか!!

どういった経緯《けいい》で…!?
わーエリちゃんやったー
よろしくおねがいします
私《わたし》妹《いもうと》を思《おも》い出《だ》しちゃうわよろしくね
いつまでも病院《びょういん》ってわけにはいかないからな
チョイチョイ
エリちゃん親《おや》に捨《す》てられたそうだ
血縁《けつえん》にあたる八斎會組長《はっさいかいくみちょう》も長《なが》い間《あいだ》意識不明《いしきふめい》のままらしくて
現状《げんじょう》寄《よ》る辺《べ》がない
そんでね先生《せんせい》から聞《き》いたかもしんないけど〝個性《こせい》〟の放出口《ほうしゅつぐち》になってる「角《つの》」
はい
縮《ちぢ》んで今《いま》は大丈夫《だいじょうぶ》って聞《き》きました…
わずかながらまた伸《の》び始《はじ》めてるそうなんだ

じゃあ…またああならないように…？
コクッ
そういうことで養護施設《ようごしせつ》じゃなく特別《とくべつ》に雄英《ウチ》が引《ひ》き取《と》り先《さき》となった
教師寮《きょうしりょう》の空《あ》き部屋《べや》で監督《かんとく》する
様子《ようす》を見《み》て…強大《きょうだい》すぎる力《ちから》との付《つ》き合《あ》い方《かた》も模索《もさく》していく
検証《けんしょう》すべきこともあるし…まア…おいおいだ
相澤先生《あいざわせんせい》が大変《たいへん》そう
シュバッ
そこは休学中《きゅうがくちゅう》でありエリちゃんとも仲良《なかよ》しなこの俺《おれ》がいるのさ！
忙《いそが》しいだろうけど皆《みんな》も顔出《かおだ》してよね
もちろんです！
エリちゃんが体《からだ》も心《こころ》も安定《あんてい》するようになれば…

無敵《むてき》の男《おとこ》
復活《ふっかつ》の日《ひ》も
遠《とお》くない
そうなれば
嬉《うれ》しいね
早速《さっそく》で悪《わる》いが
3年《ねん》しばらく
頼《たの》めるか？
ラジャっす
オセロ
やろっと！
僕《ぼく》らも
いいですか！
A組《エーぐみ》は
寮《りょう》へ戻《もど》ってろ
このあと
来賓《らいひん》が
ある
へっちょい
ビクッ
1-A

風邪《かぜ》？大丈夫《だいじょうぶ》？
いや…！息災《そくさい》！我《わ》が粘膜《ねんまく》が仕事《しごと》をしたまで
何《なに》それ
噂《うわさ》されてんじゃね!?ファン出来《でき》たんじゃね!?
ヤオヨロズー！みたいな
茶化《ちゃか》さないで下《くだ》さいまし 有難《ありがた》いことです！
常闇《とこやみ》くんはとっくにおるんやない？
だってあの"ホークス"のとこインターン行《い》っとったんやし
いいやないだろうな
あそこは・・・・・・はやすぎるから
ガチャッ
あ!! 来《き》たぞ皆《みんな》！お出迎《でむか》えだ!!

煌《きら》めく眼《まなこ》でロックオン！
猫《ねこ》の手《て》手助《てだす》けやって来《く》る！
どこからともなくやってくる
キュートにキャットにスティンガー！
ワイルド・ワイルド・
にくきゅうまんじゅう
プッシーキャッツ
（オフver《バージョン》.）

プッシーキャッツ！お久《ひさ》し振《ぶ》りです！
わー
元気《げんき》そうねキティたち！
あん時《とき》や守《まも》りきってやれずすまなんだ
ぬう
ほじくり返《かえ》すんじゃねェ
ウチら大丈夫《だいじょうぶ》っスよね
にくきゅーまんじゅー
にくきゅーまんじゅーー！
洸汰《こうた》くん!! 久《ひさ》し振《ぶ》り!!
手紙《てがみ》！ありがとうね！宝物《たからもの》だよ
別《べつ》に… うん
緑谷《みどりや》くん見《み》てよ
え？
やっ やめろよ

自分《じぶん》で選《えら》んだんだよ「絶対赤《ぜったいあか》だ」って
ベコ……違《ちが》コ……
お揃《そろ》いだ！
しかしまた何《なん》で雄英《ゆうえい》に？
ズズ
おかけください
B組にも行かないかんし
ああいいのおかまいなくっ
復帰《ふっき》のご挨拶《あいさつ》に来《き》たのよ
復帰《ふっき》!?
おめでとうございます!!
ラグドール戻《もど》ったんですか!?
〝個性《こせい》〟を奪《うば》われての活動見合《かつどうみあ》わせだったんじゃ
戻《もど》ってないよ！アチキは事務仕事《じむしごと》で3人《にん》をサポートしていくの！
OL《オーエル》キャッツ！
カタカタ

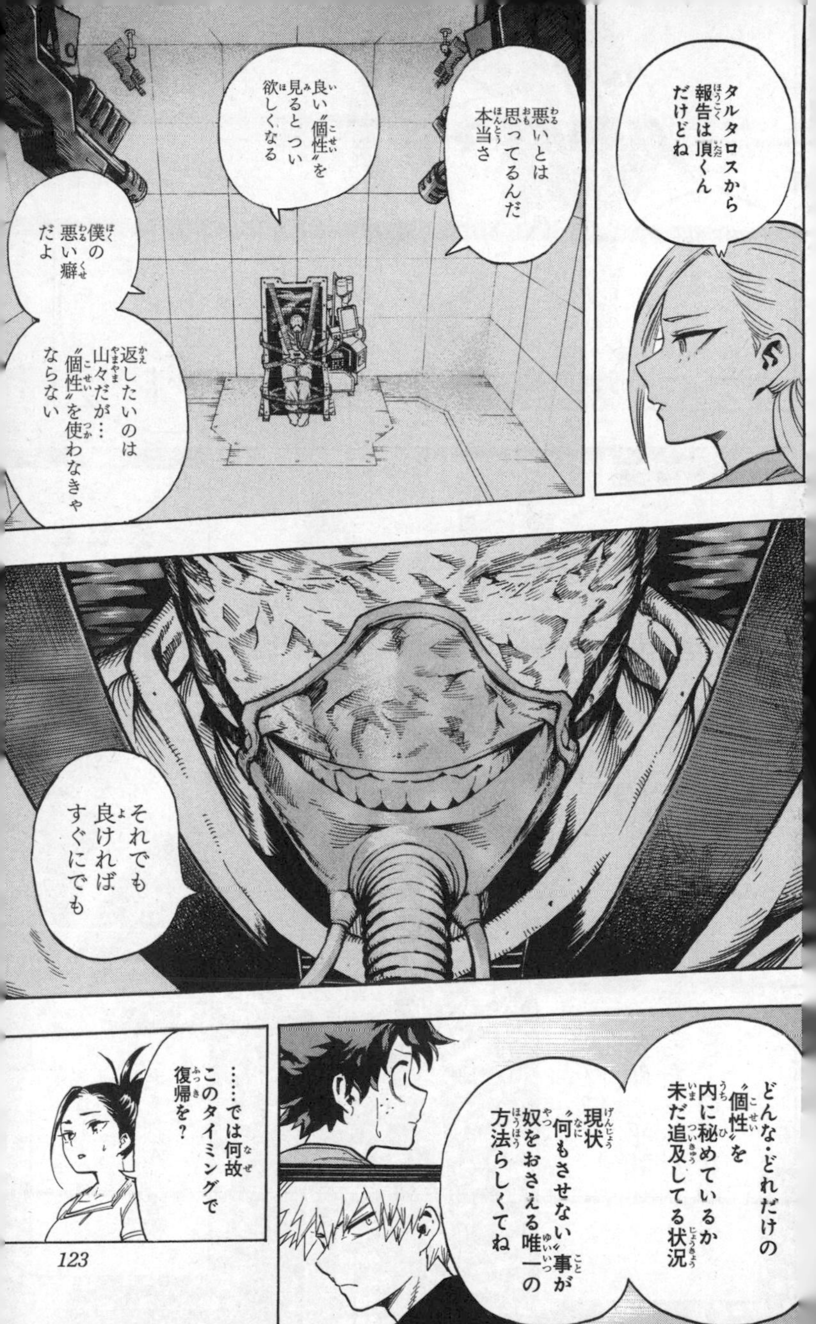
タルタロスから報告《ほうこく》は頂《いただ》くんだけどね
悪《わる》いとは思《おも》ってるんだ本当《ほんとう》さ
良《い》い〝個性《こせい》〟を見《み》るとつい欲《ほ》しくなる
僕《ぼく》の悪《わる》い癖《くせ》だよ
返《かえ》したいのは山々《やまやま》だが…〝個性《こせい》〟を使《つか》わなきゃならない
それでも良《よ》ければすぐにでも
どんな・どれだけの〝個性《こせい》〟を内《うち》に秘《ひ》めているか未《いま》だ追及《ついきゅう》してる状況《じょうきょう》
現状《げんじょう》〝何《なに》もさせない〟事《こと》が奴《やつ》をおさえる唯一《ゆいいつ》の方法《ほうほう》らしくてね
……では何故《なぜ》このタイミングで復帰《ふっき》を？

今度《こんど》発表《はっぴょう》されるんだけど
ヒーロービルボードチャートJP《ジェイピー》下半期《しもはんき》
私《わたし》たち411位《い》だったんだ
ヒーロービルボードチャートJP《ジェイピー》!!
事件解決数《じけんかいけつすう》社会貢献度《しゃかいこうけんど》国民《こくみん》の支持率《しじりつ》などを
集計《しゅうけい》し毎年二回《まいとしにかい》発表《はっぴょう》される現役《げんえき》ヒーロー番付《ばんづけ》!!
すなわち上位《じょうい》に名《な》を刻《きざ》んだ者程《ものほど》
人々《ひとびと》に笑顔《えがお》と平和《へいわ》をもたらしたヒーローなのだ!!

前回《ぜんかい》は32位《い》でした
なる程《ほど》急落《きゅうらく》したからか!! ファイトッす!!
違《ちが》うにゃん
全《まった》く活動《かつどう》して……なかったにも拘《かか》わらず3桁《けた》ってどゆ事《こと》ってこと!!
支持率《しじりつ》の項目《こうもく》が我々《われわれ》突出《とっしゅつ》していた
待《ま》ってくれてる人《ひと》がいる
立《た》ち止《ど》まってなんかいられにゃい!!
そういう事《こと》かよ漢《おとこ》だワイルド・ワイルド・プッシーキャッツ!!
うるせー
ぐっ
ビルボードかァ
そういえば下半期《しもはんき》まだ発表《はっぴょう》されてなかったもんね
色々《いろいろ》あったからな

オールマイトのいないビルボードチャートかァ
どうなってるんだろう楽《たの》しみだな
神野《カミノ》以降《いこう》初《はじ》めてのビルボードチャート!!
その意味《いみ》の大《おお》きさは誰《だれ》もが知《し》るところであります!!
BILL BOARD CHARTS
これまで発表《はっぴょう》の場《ば》にヒーローが登壇《とうだん》することはありませんでした
しかし今回《こんかい》は!!ご覧下《らんくだ》さい!!

No.10《ナンバーテン》
今期《こんき》は私《わたし》正直見合《しょうじきみあ》ってないかな…
前回《ぜんかい》9位《い》からワンランクダウン!!
ドラグーンヒーローリューキュウ!!
No.9《ナンバーナイン》
フン……
上位《じょうい》3名《めい》を除《のぞ》けば斯様《かよう》な番付《ばんづけ》
全《すべ》て時運《じうん》による誤差《ごさ》
こちらもダウン!しかし未《いま》だ衰《おとろ》え知《し》らず!!
具足《ぐそく》ヒーローヨロイムシャ
No.8《ナンバーエイト》
ワシャシャシャシャシャシャシャシャ!!!
〝キレイにツルツル〟CM《シーエム》でおなじみ
洗濯《せんたく》ヒーローウォッシュ

No.7《ナンバーセブン》
大躍進《だいやくしん》!!
成長《せいちょう》止《と》まらぬ
期待《きたい》の男《おとこ》!!
光栄《こうえい》
シンリンカムイ
同《おな》じチームを
組《く》む身《み》として
大変《たいへん》励《はげ》みに
なりますね
彼《かれ》との
熱愛報道《ねつあいほうどう》に
ついては
ノーコメントで
Mt.《マウント》レディ 23位《い》
わーん
悔《くや》しい 何《なん》で
先輩《せんぱい》だけー!!
おめーも充分《じゅうぶん》
すげーから
No.6《ナンバーシックス》
THE《ザ》・正統派《せいとうは》の男《おとこ》は
堅実《けんじつ》に順位《じゅんい》を
キープ!
オールマイト…
シールドヒーロー
クラスト!

No.5《ナンバーファイブ》
勝《か》ち気《き》なバニーはランクアップ！
チーム組《く》んだんだってな弱虫《よわむし》め！
ラビットヒーロー
ミルコ
No.4《ナンバーフォー》
ミステリアスな忍《しのび》は解決数《かいけつすう》も支持率《しじりつ》もうなぎ上《のぼ》り
黙《だま》らっしゃい公《おおやけ》の場《ば》だぞ
忍者《にんじゃ》ヒーロー
エッジショット
今回《こんかい》神野《カミノ》に関《かか》わったヒーローたちの支持率《しじりつ》が軒並《のきな》み上《あ》がっているようですね
それでいくとこの男《おとこ》!!
活動休止中《かつどうきゅうしちゅう》にも拘《かか》わらずNo.3《ナンバースリー》！
支持率《しじりつ》は今期《こんき》No.1《ナンバーワン》！ファイバーヒーロー！

ベストジーニスト
欠席
一刻《いっこく》も早《はや》い
復帰《ふっき》を皆《みんな》が
待《ま》っています!!
No.2《ナンバーツー》
マイペースに!
しかし猛々《たけだけ》しく!
破竹《はちく》の勢《いきお》いで
今《いま》!2番手《ばんて》へ!
ホークス《ウィングヒーロー》!!
んな大《おお》ゲサな
そして!!
暫定《ざんてい》の1位《い》から
今日《きょう》改《あらた》めて
正真正銘《しょうしんしょうめい》
No.1《ナンバーワン》の座《ざ》へ

長《なが》かった!!
フレイムヒーロー
エンデヴァー!!

THE・何だおまえ!?

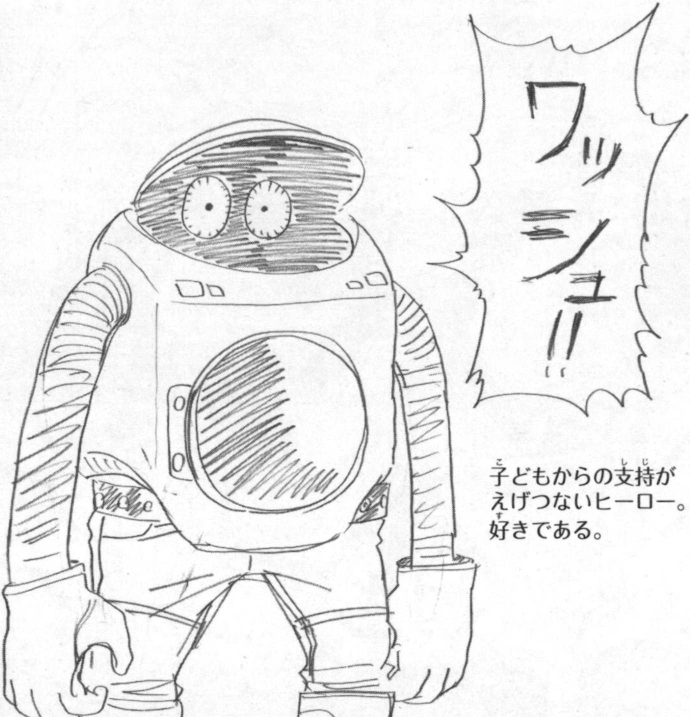

子《こ》どもからの支持《しじ》がえげつないヒーロー。好《す》きである。

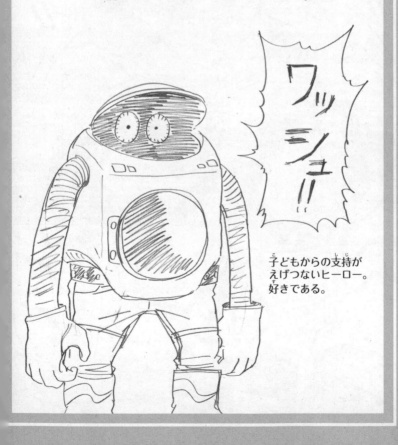

HERO《ヒーロー》 BILLBOARD《ビルボード》 CHARTS《チャート》 JP《ジェイピー》

1 エンデヴァー

2 ホークス

3 ベストジーニスト

4 エッジショット

5 ミルコ

6 クラスト

7 シンリンカムイ

8 ウォッシュ

9 ヨロイムシャ

10 リューキュウ

過去《かこ》1年間《ねんかん》のヒーロー活動《かつどう》を対象《たいしょう》とし、その間《あいだ》の事件解決数《じけんかいけつすう》、社会貢献度《しゃかいこうけんど》、国民《こくみん》の支持率《しじりつ》をヒーロー公安委員会《こうあんいいんかい》が独自《どくじ》に数値化《すうちか》、ランキング形式《けいしき》で発表《はっぴょう》される。

事件解決数《じけんかいけつすう》が最《もっと》も重視《じゅうし》される上《うえ》、大《おお》きな事件《じけん》を解決《かいけつ》したヒーローは支持率《しじりつ》も上《あ》がりやすくなるため、より多《おお》く・大《おお》きな事件《じけん》を解決《かいけつ》したヒーローほど上位《じょうい》にランクインしやすい。

No.《ナンバー》185

ウィングヒーローホークス

今回《こんかい》このような場《ば》を設《もう》けたのは
ヒーロー公安委員会《こうあんいいんかい》会長《かいちょう》
節目《ふしめ》であると判断《はんだん》したからであります
オールマイトの引退《いんたい》から約《やく》３か月《げつ》
未《いま》だアイコン不在《ふざい》ばかりが取《と》り沙汰《ざた》されておりますが
ボー…
次《つぎ》を担《にな》うヒーローたちはここにいます
彼《かれ》らと共《とも》に平和《へいわ》な社会《しゃかい》を目指《めざ》していきましょう
GLARE
ヒソ…
1位《い》ってどんな気分《きぶん》なんスか？

――それでは お一人《ひとり》ずつ コメントを!
ありがとう ございます
しかし 辞退《じたい》できるものなら したかったというのが 本音《ほんね》です
救《すく》えたはずの命《いのち》が ありました… 頂《いただ》いたNo.《ナンバー》にふさわしい ヒーローとなれるよう 邁進《まいしん》して参《まい》ります
リューキュウ……!
……
わかるぞ リューキュウ!
おまえの心《こころ》の 苦《くる》しみが! 自責《じせき》の念《ねん》が!!
我《われ》ら 立《た》たねば ならぬ!!
頑張《がんば》れ リューキュウ!! 頑張《がんば》ろう!!
クラスト 順番《じゅんばん》…
暑苦《あつくる》しい
そこがいい

これからも
やるべき事《こと》は
変《か》わらん
ワッシヤ!!
チームに加《くわ》えてくれた
エッジショットを
はじめ
諸先輩方《しょせんぱいがた》に
恥《は》じぬ働《はたら》きを
していく所存《しょぞん》
何故《なぜ》あの日《ひ》 私《わたし》は
神野《カミノ》にいなかった
うおおおお
その思《おも》いが未《いま》だ
胸《むね》をしめつける!!
……
今《いま》悪《わる》いこと
企《たくら》んでる奴《やつ》!!
私《わたし》に
ぶっとばされる
覚悟《かくご》しとけよ

支持率《しじりつ》だけであれば No.3《ナンバースリー》の座《ざ》でした…！
数字《すうじ》に頓着《とんちゃく》はない
結果《けっか》として多《おお》くの支持《しじ》を頂《いただ》いた事《こと》は感謝《かんしゃ》しているが
バッ
名声《めいせい》の為《ため》に活動《かつどう》しているのではない
安寧《あんねい》をもたらす事《こと》が本質《ほんしつ》だと考《かんが》えている
それ聞《き》いて誰《だれ》が喜《よろこ》びます？
ステインくらい？

良《い》いぞ 生意気《なまいき》だ！
……相変《あいか》わらず 和《わ》を乱《みだ》すのが 好《す》きだな
我慢《がまん》が苦手《にがて》な だけですよ
ああ
パシッ
えーと？
バサッ
支持率《しじりつ》だけで いうと ベストジーニストさん 休止《きゅうし》による 応援《おうえん》ブーストが かかって1位《い》
2位《い》が俺《おれ》 3位《い》エッジショットさん
で4位《い》が エンデヴァーさん 以下略《いかりゃく》
支持率《しじりつ》って 俺《おれ》は今一番《いまいちばん》 大事《だいじ》な数字《すうじ》だと 思《おも》ってるんですけど

過《す》ぎたことを引《ひ》きずってる場合《ばあい》ですか
やる事《こと》変《か》えなくていいんですか
象徴《しょうちょう》はもういない
バサ
〝節目《ふしめ》〟のこの日《ひ》に俺《おれ》より成果《せいか》の出《で》てない人《ひと》たちが
なァにを安《あん》パイ切《き》ってンですか！
もっとヒーローらしいこと言《い》って下《くだ》さいよ
バサ
バサ
なんかしかめっ面《つら》してると思《おも》ったら…
ザワ…
ホンマ何考《なにかんが》えとるかよーわからんなあいつは…

ホークス22歳《さい》
前回《ぜんかい》のチャートでトップ3入《い》りを果《は》たしたヒーロー
18歳《さい》で事務所《じむしょ》立《た》ち上《あ》げ
なんとその年《とし》の下半期《しもはんき》には既《すで》にトップ10に入《はい》っている
十代《じゅうだい》でのトップ10入《い》りは史上初《しじょうはつ》
最速《さいそく》最年少《さいねんしょう》!!
人《ひと》は彼《かれ》を…速《はや》すぎる男《おとこ》と呼《よ》ぶ
マイペースっちゅーかなんちゅーか…
不《ふ》そん
ザワ
ザワ

俺《おれ》は以上《いじょう》です
さァお次《つぎ》どうぞ
支持率《しじりつ》俺《おれ》以下《いか》
No.1《ナンバーワン》
ファッ
ホークスの言《い》ってる事《こと》もうなずけるとこあるぶん
これエンデヴァー喋《しゃべ》り辛《づら》いぞ

若輩《じゃくはい》に こうも煽《あお》られた以上《いじょう》
元No.1ヒーローよ
平和《へいわ》の象徴《しょうちょう》とは……何《なん》だ
何《なん》の為《ため》に強《つよ》く在《あ》るのか
答《こた》えはきっと とてもシンプルだ
多《おお》くは語《かた》らん
ゴッ

俺《おれ》を見《み》ていてくれ
CLAP
CLAP

エンデヴァー様
いや――
ゴメーワク
オカケシャーシタ
ゴォオオオオ
チリ
チリ
どういう
つもりだ小僧《こぞう》
皆《みな》さんがあまりに
普通《ふつう》のことしか
言《い》わないんで
演出《インパクト》が必要《ひつよう》だと
アツイ
アツイ
チリ
チリ
俺《おれ》を
試《ため》したな
まさか!
むしろ
アシストでしょ
良《よ》かった
でしょ?
パッ
俺《おれ》は別《べつ》に
オールマイトファン
でもないし
ああなりたい
とも
思《おも》ってません
それでも
あの人《ひと》の引退《いんたい》は
ショックでした

あの人《ひと》のようにアイコニックな存在《そんざい》とはいいません
しかし新《あら》たな精神的支柱《リーダー》は今絶対《いまぜったい》に必要《ひつよう》だと考《かんが》えています
安心《あんしん》しましたかっこよかったですよ
…本心《ほんしん》からかっているのか…
自分《じぶん》がそうなろうとは考《かんが》えんのか
俺《おれ》がそんな器《うつわ》に見《み》えます？
もうちょい下《した》で自由《じゆう》にやりたいので
20～30位《い》くらいで
アッハハハハ
貴様《きさま》のような人間《にんげん》が最《もっと》も嫌《きら》いだ
話《はなし》はお終《しま》いだ他《ほか》の者《もの》へ謝罪《しゃざい》して来《こ》い

あっこから本題《ほんだい》です
聞《き》かん失《う》せろ
チームアップのお願《ねが》いです
俺《おれ》の地元《じもと》今《いま》嫌《いや》な目撃談《もくげきだん》が増《ふ》えてんですよ
脳《のう》無《む》って覚《おぼ》えてます？
前《まえ》のはよくわかんねえままだったからなァ…
今度《こんど》は期待《きたい》してるよ

ハイエンド
まマカせ…マ
ズリュ
ま任《まか》せロ…

No.《ナンバー》186 エンデヴァー&《アンド》ホークス

STAFF INTRODUCTION

スタッフ紹《しょう》介《かい》

ポッチャリー

（池田《いけだ》くん）

堀越《ほりこし》からのコメント　かっこいいキャラクターですね！

F《エフ》-29《トゥエンティナイン》

（伏見《ふしみ》くん）

堀越《ほりこし》からのコメント　かっこいいキャラクターですね！

イン・チャント・マネージャー

（境野《さかいの》くん）

堀越《ほりこし》からのコメント　かっこいいキャラクターですね！

パパラッシュ

（野口《のぐち》くん）

堀越《ほりこし》からのコメント　かっこいいキャラクターですね！

ヒストリアイ

（湯澤《ゆざわ》くん）

堀越《ほりこし》からのコメント　かっこいいキャラクターですね！

ヨリトミサン

（頼富《よりとみ》さん）

堀越《ほりこし》からのコメント　かっこいいキャラクターですね！

三年《さんねん》勤《つと》めてきた
会社《かいじゃ》ば
今《いま》から潰《つぶ》す
ブツブツ
ブツブツ
物心《ものごころ》ついた時《とき》から
ずっと人《ひと》ん顔色《かおいろ》ば伺《うかが》って
生《い》きてきた
息苦《いきぐる》しかった
異能解放戦線
異例の再出版
デストロの伝記
ばってん そんな俺《おれ》とも
今日《きょう》でオサラバたい
クソ
会社《がいしゃ》
散々《さんざん》
がなって
から…
解放《かいほう》せよ
解放《かいほう》せよ
異能解放《いのうかいほう》
万歳《ばんざい》!!
恥樫《はずかし》 照夫《てるお》(31)
〝個性《こせい》〟「羞恥《しゅうち》」恥《は》ずかしい思《おも》いをすれば
する程《ほど》パワーが上《あ》がる。

エンデヴァーさん 好《す》きな食《た》べ物《もの》とか ありますか？
うわ 何《なん》こいつ!!? 露出狂《ろしゅつきょう》やん
寒《さむ》いとに ようやるな
ガヤ
そこの水炊《みずた》き スゲー 旨《うま》いんですよ 鳥《とり》の味《あじ》が しっかり出《で》てて
重《おも》いですかね 腹《はら》減《へ》ってます？
この 羽《はね》は――…
キャアア
ガヤ

ああ！
ダメよ シュバルツー!!
フア
バシュ
……
焼《や》き鳥《とり》も いいですよ！「ヨリトミ」の レバーは クセになる
よかった〜 シュバルツ〜 わあああん
バシュ
ホークス やん!!
普通《ふつう》に歩《ある》いとう とか珍《めずら》しか！
どもー
おっと バアちゃん 上《うえ》まで持《も》つよ
フアッ
ありがとねぇ

ホークス 2位《い》おめでと！
見《み》たぞ昨日《きのう》の！ 謙虚《けんきょ》にいかんと 敵《てき》増《ふ》やすだけぞ！
敵《てき》て
ホークス ホークス！
イエーイ
あの！ 息子《むすこ》が 大《だい》ファンで サインを…
まーオシャレな バッグ！ いいの書《か》いて？
もちろん！
名前《なまえ》は？
亮典《りょうすけ》！
オッケー 亮典《りょうすけ》 いつもありがと
ワー ワ
サワ サワ
エンデヴァー だ…！
顔《かお》コワかー
貫禄《かんろく》というか… 圧《あつ》が強《つよ》かね…
ザワ
ザワ
おまえ サイン貰《もら》って こいって
いやヤレ
好《す》きって 言《い》っとったやん
好《す》きやけど！ 違《ちが》うやろ!!
わ
来《き》とう！ こっち来《き》とう
え!? え!? ウソ!? ウソ
ヤバイヤバイヤバイ 新《しん》コスかっけえ！

遠慮《えんりょ》など しなくていい
違《ちが》う
違《ちが》うのか！
※エンデヴァーは ファンサとかせん…!! 媚《こ》びん姿勢《しせい》が カッコイイったい…！
グギギ
ガチ勢《ぜい》やったんか…
※ファンサービス
変《か》わってしもた!! 変《か》わってしもたよ あーた!!
わー
…違《ちが》うのか
士傑《しけつ》の坊主《ぼうず》には 自然《しぜん》に出来《でき》ていたハズだが…

UMAIビル
15F 焼き鳥 ヨリトミミドリ
14F 海鮮 料亭
13F もつ鍋 福
12F Oyster Bar 居酒屋楽座
11F 和食 いろは。
20F
19F
18F
17F
16F
ハハハハ
そりゃ言《い》われますってキャラじゃないですもん
あもう食《た》べないならもらっていいです？
…いやしいな
勝手《かって》に食《く》え
欲《ほ》しいと思《おも》ったらどうにも我慢《がまん》できない性分《しょうぶん》で
体育祭《たいいくさい》の後《あと》もね！息子《むすこ》さん指名《しめい》してたんスよ俺《おれ》
パク パク パク
No.2の息子《むすこ》って肩書《かたが》きがもう欲《ほ》しいじゃないですか
注目度的《ちゅうもくどてき》に

※常闇《とこやみ》くんのヒーロー名《めい》だよ！

神野《カミノ》で格納《かくのう》されていた数十体《すうじゅったい》をオール・フォー・ワンもろとも捕《と》らえ
それ以降《いこう》連合《れんごう》に動《うご》きはあれど脳無《のうむ》の出現《しゅつげん》は確認《かくにん》されていない
・あれで全部《ぜんぶ》だった
・まだあるけどオールフォさんしか場所《ばしょ》知らない
のどちらかって見方《みかた》みたいです
〝噂《うわさ》〟と言《い》うが貴様《きさま》
・俺《おれ》にチームアップを頼《たの》んだからには何《なに》かしら確証《かくしょう》は得《え》ているんだろうな?
得《え》てないですガチ噂《うわさ》です
パンッ
会計《かいけい》だ!俺《おれ》は帰《かえ》る!!
待《ま》って下《くだ》さいよ聞《き》いて下《くだ》さいつーかね
脳無《のうむ》の目撃談《もくげきだん》はここだけじゃないんですよ
知《し》らないでしょ

全国《ぜんこく》で そういう噂《うわさ》が 立《た》ってるんです
取《と》り立《た》てて 記事《きじ》にする程《ほど》でも ないけれど…
しかし 奥様方《おくさまがた》の 井戸端会議《いどばたかいぎ》で
或《ある》いは 小中学生《しょうちゅうがくせい》の 下校《げこう》の 会話《かいわ》の中《なか》で
…………どういう事《こと》だ
出張《しゅっちょう》に出《で》た時《とき》 地元《じもと》の人《ひと》から 聞《き》いたのが最初《さいしょ》です
その時《とき》は 警察《けいさつ》とも協力《きょうりょく》して… 混乱《こんらん》を避《さ》ける為《ため》 コッソリ捜査《そうさ》 したんですが何《なに》も出《で》ず
で ちょっと 気《き》になったんで
調査《ちょうさ》…!?
個人的《こじんてき》に 全国飛《ぜんこくと》び回《まわ》って 調査《ちょうさ》して みたんです
違《ちが》いはあれど 似《に》たような噂話《うわさばなし》が 全《まった》く関連《かんれん》のない 地域《ちいき》で湧《わ》いて ました
結果的《けっかてき》には どれも確度《かくど》ゼロの 〝噂《うわさ》〟でしかなかったん ですけど

抽象的《ちゅうしょうてき》な見解《けんかい》になっちゃうんですけど
象徴を
!?
雄英《ゆうえい》・保須《ほす》・神野《カミノ》を経《へ》て
〝改人《かいじん》〟という敵《ヴィラン》以上《いじょう》に不気味《ぶきみ》な存在《そんざい》を皆《みんな》知《し》ってるわけじゃないスか
どっかのアホウが不安《ふあん》を煽《あお》る目的《もくてき》でホラ吹《ふ》いて
それが今《いま》全国《ぜんこく》に伝播《でんぱ》してるんじゃないかな
さっきの敵《ヴィラン》〝異能解放万歳《いのうかいほうばんざい》〟叫《さけ》んでたでしょ?
異能解放万歳!!
あれも似《に》たような事《こと》で
今《いま》大昔《おおむかし》の犯罪者《はんざいしゃ》の自伝《じでん》が再出版《さいしゅっぱん》されてけっこー売《う》れてるんですよ
恐《おそ》らく感化《かんか》されちゃったんでしょうね

社会《しゃかい》が不安《ふあん》な時《とき》ほど
そういうの売《う》れるってか
はびこるって言《い》うじゃ
ないですか
…もったい
つけるな
イラ イラ
結局《けっきょく》何《なに》がしたいんだ
貴様《きさま》は！ 結論《けつろん》を言《い》え
No.1のあなたに
頼《たよ》れるリーダーに
なってほしい！
立《た》ち込《こ》める噂話《うわさばなし》を
・・・
あなたが検証《けんしょう》して
・・・
あなたが
「安心《あんしん》してくれ」と！
胸《むね》を張《は》って
伝《つた》えてほしい！
俺《おれ》は特《とく》に
何《なに》もしない！
昨日《きのう》も同《おな》じような事《こと》
言《い》いましたけど
要《よう》はNo.1の
プロデュース
ですよねー
スタンス
どうなっとるんだ
貴様《きさま》
俺《おれ》は
楽《らく》したいん
ですよ
本当《ほんとう》
適当《てきとう》にダラダラ
パトロールして
今日《きょう》も何《なに》もなかったと
くだを巻《ま》いて床《とこ》に就《つ》く！
これ最高《さいこう》の生活《せいかつ》！

ヒーローが暇《ひま》を持《も》て余《あま》す世《よ》の中《なか》にしたいんです
エンデヴァーさん

…………
はーい
お会計《かいけい》ですねー
下《さ》がって
お姉《ねえ》さん！

CRASH
どレが一番《いちばん》強《つよ》イ?

キャアアアア
ホークス
避難誘導《ひなんゆうどう》を!
了解《りょうかい》!
エンデヴァーさんは!?
ドズッ
〝噂《うわさ》〟では
なかったか
なんとも
間《ま》の良《い》い奴《やつ》だ
まァいい

ゴウ
どのみち
そのつもりで来《き》た！
ジェットバーン

赫灼熱拳《かくしゃくねっけん》
来《こ》い
No.1《おれ》を見《み》せてやる

HERO

ミルコ（兎山《うさぎやま》 ルミ）（26）

Birthday《バースデイ》：3/1
Height《ハイト》：159cm《センチ》
好《す》きなもの：にんじん

THE《ザ》・趣味《しゅみ》

・色々《いろいろ》とデザイン的《てき》に
趣味《しゅみ》の塊《かたまり》。
ヒーロー名《めい》は、某《ぼう》格闘家《かくとうか》から。

着《き》替《が》えと羽《は》織《お》るもの置《お》いとくね
いつもありがとう
No.《ナンバー》187　燃《も》えよ轟《とどろ》け！VS《バーサス》脳無《のうむ》：ハイエンド
来週《らいしゅう》から冷《ひ》え込《こ》むみたい
轟《とどろき》 冬美《ふゆみ》(22)
(轟《とどろき》くんのお姉《ねえ》さん)
嬉《うれ》しい寒《さむ》いのは好《す》き
暑《あつ》がりだもんねぇ俺《おれ》ら
轟《とどろき》 夏雄《なつお》(19)
(轟《とどろき》くんのお兄《にい》さん)
夏《なつ》くん元《げん》気《き》そうね
轟《とどろき》 冷《れい》(轟《とどろき》くんのお母《かあ》さん)
大学《だいがく》入《はい》ってから全《ぜん》っ然《ぜん》帰《かえ》って来《こ》ないの
ゼミで彼女《かのじょ》できたんだって
姉《ねえ》ちゃん!!
連絡《れんらく》入《い》れてるからいいでしょよ!?
わ
おっ お母《かあ》さんも元《げん》気《き》そうだね！
血色《けっしょく》！
血色《けっしょく》がいい!!

焦凍《しょうと》が お手紙《てがみ》くれるの
パラー
仮免《かりめん》補講《ほこう》 大変《たいへん》だけど 友《とも》だちに 追《お》いつく為《ため》に 頑張《がんば》ってるって
へぇー
焦凍《しょうと》 筆《ふで》マメなんね
ドカ
寮制《りょうせい》に補講《ほこう》で あの子《こ》も 以前《いぜん》のようには 来《こ》れないのよ
さすがに ケータイもう いいんじゃない? 大変《たいへん》でしょ手紙《てがみ》は
ヒョイッ
そうねえ 先生《せんせい》が何《なん》て 言《い》うか…
お母《かあ》さん
あいつ
昨日《きのう》正式《せいしき》に No.1になったよ

夏《なつ》
世間《せけん》はお母《かあ》さんや兄弟《きょうだい》にしてきた事《こと》
家族《かぞく》をどう扱《あつか》ってたか知《し》らないよ
あいつトーク番組《ばんぐみ》とか出《で》ないし
あんたお父《とう》さんの話《はなし》は
いいの冬美《ふゆみ》
俺《おれ》はろくに思《おも》い出《で》もないし
あいつがどうなろうがもうほぼ他人感覚《たにんかんかく》なんだけどさ
けど
お母《かあ》さんや焦凍《しょうと》たちの事《こと》…なかったかのように振《ふ》る舞《ま》ってんのは許《ゆる》せねぇ
もう約《やく》10年《ねん》お母《かあ》さんに謝《あやま》りにも来《き》てないんだろ
過去《かこ》も血《ち》も
あいつは置《お》き去《ざ》りにしていく気《き》なんだ

それは違《ちが》うよ
……何《なん》でお母《かあ》さんがあいつ庇《かば》うん…
このお花《はな》
私《わたし》が好《す》きって言《い》ったの
?
初《はじ》めて会《あ》った頃《ころ》たった一度《いちど》
……お父《とう》さん来《き》たの…!?
何度《なんど》か来《き》てるみたい・・・
面会《めんかい》は…してないまだ恐《こわ》くて
先生《せんせい》もやめた方《ほう》がいいって

あの人《ひと》が内心《ないしん》どう思《おも》ってるかはわからない
対外的《たいがいてき》な理由《りゆう》かもしれない
でもね置《お》き去《ざ》りじゃないよ
過去《かこ》も血《ち》も
俺《おれ》を見《み》ていてくれ
向《む》き合《あ》おうとしてることは確《たし》かだよ
No.《ナンバー》187
燃《も》えよ轟《とどろ》け！VS《バーサス》脳《のう》無《む》：ハイエンド

WHOOOOOSH
エンデヴァーさん飛《と》べるんですかぁ!?
落《お》ちないだけだ!
抜《ぬ》かるな!こいつはまだ
動《うご》く

ココんな
火《ひ》デ俺《おれ》レを
を…
ジュウウウ
殺《ころ》セるとと
思《おも》っ
思《おも》っ思《おも》っ
ズズ
ったカ?
再生《さいせい》
やはり…
当然《とうぜん》のように
強《きょう》〝個性《こせい》〟を…
雄英《ゆうえい》に現《あらわ》れた脳無《やつ》にも
備《そな》わっていたと聞《き》く
そして
保須《ほす》に出《で》た内《うち》の
一匹《いっぴき》にも…
他《ほか》の白《しろ》い脳無《のうむ》には
見《み》られなかった
〝黒《くろ》〟は
特別製《とくべつせい》という
ことか…?
だとすると
こいつは
その中《なか》でも更《さら》に
特別《とくべつ》
なにせ…

オ前《まえ》は強《つよ》いノか？
喋《しゃべ》る！ならば!!
生《い》け捕《ど》りにして情報《じょうほう》を頂《いただ》く！
赫灼熱拳《かくしゃくねっけん》
ヘルスパイダー

わあ!!!?
ドゴ
…!!
THOOM

ボロ
ボロッ
炭化《たんか》させたそばから…
頼《たの》みますよ
No.1…!
オイオイ…
グラ
グラ
ガガッ
ヒュン
ヒュン

キャアアアアア
逆噴射《ぎゃくふんしゃ》でも抵抗《ていこう》しきれなんだ…
スピードもパワーも俺《おれ》より上《うえ》か…！

ズズ…
おい ウソやろ!
ズ
ズ
ズ
落《お》ちるぞ!!!
下《した》大通《おおどお》りやぞ!!
ズズズ
ビルにも何人《なんにん》人《ひと》が入《はい》っとるか――…
ビリ ビリ…
キャアァ
アァ
ァァ

悲鳴《ひめい》
呼吸《こきゅう》
衣《きぬ》ずれ
人《ひと》から生《しょう》じる振動《しんどう》!
感知《かんち》しろ剛翼《ごうよく》
ビビ…
ビル全階《ぜんかい》は、無理《むり》
羽《はね》が足《た》りない
被害部分《ひがいぶぶん》の
人間全員《にんげんぜんいん》!!
ホークス〝個性《こせい》〟
剛翼《ごうよく》!!

固《かた》く
しなやかな
羽《はね》！
その一枚《いちまい》一枚《いちまい》を
思《おも》いのままに
操《あやつ》れる！
被害部分《ひがいぶぶん》の76名《めい》
全員避難完了《ぜんいんひなんかんりょう》！
ボッ
エンデヴァーさん!!

それがハイライトですか!?
まさか!
…面《おも》モ白《しろ》い…

HERO ホークス（22）

THE·SHIFUKU

Birthday《バースデイ》：12/28
Height《ハイト》：172cm《センチ》
好《す》きなもの：鶏肉《とりにく》

THE《ザ》·めっちゃ裏話《うらばなし》

・本当《ほんとう》は鳥《とり》の頭《あたま》をした鳥人間《とりにんげん》でした。
前々作《ぜんぜんさく》で登場《とうじょう》していた
「タカヒロ」というキャラクターの
流用《りゅうよう》デザインだったのです。
何《なに》を隠《かく》そう僕《ぼく》は、
鳥人間《とりにんげん》が大好《だいす》きなのです。
魔神英雄伝《マシンえいゆうでん》ワタルのせいです。

何故《なぜ》この顔《かお》になったのか。
それは、映画製作中《えいがせいさくちゅう》のある日《ひ》、
アニメ側《がわ》から「タカヒロ」を
出《だ》してもいい？と聞《き》かれたから。
ヒロアカのみならず、
僕《ぼく》の描《か》いた漫画《まんが》そのものに愛《あい》を
もって臨《のぞ》んでくれてるのだと
感激《かんげき》しました。
人生《じんせい》のピークであろう映画《えいが》、
もう僕《ぼく》は二《ふた》つ返事《へんじ》で
是非《ぜひ》ゼヒと快諾《かいだく》したワケです。
ホークスはデザイン変《か》えれば良《い》いやと。

以前《いぜん》、「2位《い》は鳥人間《とりにんげん》」とスタッフに
話《はな》した時《とき》の鈍《にぶ》い反応《はんのう》も相《あい》まって、
ホークスは無事《ぶじ》（？）このデザインに
落《お》ち着《つ》いたのでした。

微塵《みじん》!! 焼《や》き切《き》る!
No.《ナンバー》188
父《ちち》はNo.《ナンバー》1《ワン》ヒーロー
フア
フアッ
焼《や》き…切《き》ったってのか…!?
オオオ…
一瞬《いっしゅん》で… 人間業《にんげんわざ》じゃねえ!
料理《りょうり》!
したこと!
ないでしょ エンデヴァーさん!
ゴロッ
ゴロッ
ゴロ

みじん切《ぎ》り粗《あら》いですよ
均等《きんとう》に切《き》って
もらわないと
いってて
ガッ
喋《しゃべ》るより
動《うご》きに神経《しんけい》を
使《つか》うんだな
いや 羽《はね》減《へ》らし
過《す》ぎると
飛行性能《ひこうせいのう》
下《さ》がるんですって
それは悪《わる》かった
トリ…
ズズ
ズズ
BOOM
!
エンデヴァー!
ホークス!!
加勢《かせい》する!!
ドゥ
ドゥ
邪《じゃ》じゃっ
邪魔《じゃま》!
BOOM
BOOM

チッ…
◎「肩部《けんぶ》のジェット機構《きこう》」による飛行《ひこう》
◎「変容《へんよう》する腕《うで》」による飛行《ひこう》の補助《ほじょ》及《およ》び伸縮《しんしゅく》・分裂攻撃《ぶんれつこうげき》
◎伸《の》びた腕《うで》での攻撃《こうげき》を補強《ほきょう》する「筋肉増殖《きんにくぞうしょく》」
◎鉄筋《てっきん》をふり払《はら》う程《ほど》の「パワー」
◎さらに「再生《さいせい》」
5つ…！
そして6つ目《め》
キャー
ギャー
「分裂《ぶんれつ》」…!?
色《いろ》が違《ちが》う……
体内《たいない》に「格納《かくのう》」していたか…っ…

どレが一番《いちばん》強《つよ》イ？
…面《おも》モ白《しろ》い…
邪魔《じゃま》！
BOOM
額面通《がくめんどお》りに捉《とら》えれば目的《もくてき》は"強者《きょうしゃ》との戦闘《せんとう》"いっぱしの敵《ヴィラン》らしい思考回路《しこうかいろ》…！
だいぶ熱《ねっ》が篭《こも》ってきた……
俺《おれ》との戦闘継続《せんとうけいぞく》の為《ため》に加勢《かせい》を分散《ぶんさん》させようってハラか
この脳無《のうむ》
考《かん》えている……
キャー
うわああ来《く》るなああ!!

SLASH!!
ホークス！
わっ
ハーイ
見《み》えなくなるくらい下《さ》がっててください
キャー
何《なに》を隠《かく》そうパワー押《お》しには割《わり》と無力《むりょく》なんで
俺《おれ》の背中《せなか》やったら安心《あんしん》させられん

もウ…う撃《う》た
ない…のカ？
ね熱《ねっ》っっせ
熱線《ねっせん》
オオオオオ
……
それとも
撃《う》うてないない…？
だだとししたら…
勘《かん》も良《い》いときたかよ
赫灼熱拳《かくしゃくねっけん》は
炎《ほのお》を超高温《ちょうこうおん》に
圧縮《あっしゅく》し 留《とど》め
放《はな》つ一撃必殺《いちげきひっさつ》
シュウウ
乱発《らんぱつ》すれば
体温《たいおん》が上昇《じょうしょう》し
身体機能《しんたいきのう》の
低下《ていか》を招《まね》く
…がスピード・パワー
共《とも》に負《ま》けている上《うえ》
いくつ〃個性《こせい》〃を持《も》って
いるかもわからん以上《いじょう》
出《だ》し惜《お》しみは命取《いのちと》り！
俺《おれ》の体《からだ》は 熱《ねつ》が篭《こも》り続《つづ》ける
だから おまえを
だから おまえたちを
だから
おまえを

力《ちから》を
あア新《あら》たナ おっおっ俺《おれ》の 強《つよ》ヨサを
ガシッ
試《ため》ためさせてテくレ!!
ガシッ
ああ今《いま》!! 見《み》えますでしょうか!? エンデヴァーが!!
ワァァァァ
この距離《きょり》でも 眩《まぶ》しい程《ほど》に!!
逃《に》げも再生《さいせい》も 間《ま》に合《あ》わぬ煉獄《れんごく》
灼《や》けて 静《しず》まれ
激《はげ》しく 発火《はっか》して おります!!

プロミネンスバーン
俺《おれ》を見《み》ていてくれ
ここで情《なさ》けない姿《すがた》は
見《み》せられん!!

ジュウウウ
FooooSH
ズッ

残《ざん》ネン
首《くび》を…！
千《ち》切《ぎ》って投《な》げていたと
エンデヴァーさん

あ

エリちゃん
部屋《へや》に戻《もど》ろうか
ズッ
ハイ
?
皆《みな》さん
エリちゃん
よろしく頼《たの》む
轟《とどろき》のとこ
行《い》ってきます
ガチャ
エンデヴァー…‼

つっつままらん
ももっとと強《つよ》いヒヒーロローはいなナい
おまえが胸《むね》を張《は》れるようなヒーローになろう
轟《とどろき》…！
轟《とどろき》くん…！
父《ちち》はNo.1ヒーロー
最《もっと》も偉大《いだい》な男《おとこ》であると
ギリッ
20 開催文化祭《かいさいぶんかさい》!!（完《かん》）

■ジャンプ コミックス■

僕のヒーローアカデミア 20

開催文化祭!!

2018年9月9日 第1刷発行　　2019年5月14日 第7刷発行

著　者　堀越耕平
©Kohei Horikoshi　2018

編　集　株式会社　ホーム社
〒101-0051 東京都千代田区神田神保町3丁目29番 共同ビル
電話　東京　03(5211)2651

発行人　北畠輝幸

発行所　株式会社　集英社
〒101-8050 東京都千代田区一ツ橋2丁目5番10号
03(3230)6233(編集部)
電話　東京　03(3230)6393(販売部・書店専用)
03(3230)6076(読者係)

製版所　株式会社　コスモグラフィック

印刷所　大日本印刷株式会社

ISBN978-4-08-881566-4　C9979　　Printed in Japan

■初出／週刊少年ジャンプ2018年19号～30号掲載分収録
■編集協力／現代書院
■カバー、表紙デザイン／阿部亮爾（バナナグローブスタジオ）